北大版对外汉语教材·短期培训系列

速成汉语
基础教程
Speed-up Chinese

主编 杨惠元

编著 杨惠元 陈 军 毛 悦 余文青

- ◆ 听力练习
- ◆ 综合测试卷
- ◆ 基础语音练习材料

· 听力课本 ·
Listening Book

1

北京大学出版社
PEKING UNIVERSITY PRESS

图书在版编目（CIP）数据

速成汉语基础教程. 听力课本. 1 / 杨惠元主编. —北京：北京大学出版社，2011.1
（北大版对外汉语教材·短期培训系列）

ISBN 978-7-301-17970-3

Ⅰ. 速… Ⅱ. 杨… Ⅲ. 汉语—听说教学—对外汉语教学—教材　Ⅳ. H195.4

中国版本图书馆 CIP 数据核字（2010）第 205548 号

书　　　　名：	**速成汉语基础教程·听力课本　1**
著作责任者：	杨惠元　主编
责 任 编 辑：	孙　娴
标 准 书 号：	ISBN　978-7-301-17970-3/H·2677
出 版 发 行：	北京大学出版社
地　　　址：	北京市海淀区成府路 205 号　　100871
网　　　址：	http://www.pup.cn
电 子 信 箱：	zpup@pup.pku.edu.cn
电　　　话：	邮购部 62752015　　发行部 62750672　　编辑部 62754144
	出版部 62754962
印 刷 者：	北京大学印刷厂
经 销 者：	新华书店
	787 毫米 × 1092 毫米　　16 开本　　14.75 印张　　278 千字
	2011 年 1 月第 1 版　　　2011 年 1 月第 1 次印刷
印　　　数：	0001—3000 册
定　　　价：	48.00 元（全 2 册，含 MP3 盘 1 张）

前　言

　　《速成汉语基础教程·听力课本》是《速成汉语基础教程·综合课本》的配套教材，亦可单独使用。其教学对象为零起点的或略有汉语基础的初级水平的短期学生。全书共 4 册，每册 10 课，总共 40 课。

　　作为一套专项技能训练的教材，本书旨在训练和提高学生的聆听理解能力。我们在编写时吸收了汉语速成教学和听力训练方面的前沿理论研究成果，并且将这些成果作为指导思想贯彻到了教材编写的每一个环节中。

　　按照最新的教材编写理念，科学的教材应该是一套"精心编写的练习集"，"练习是教材的主体"。因为是配套教材，本书只出少量生词，基本不冒新的语法点，所以，不需要教师过多地讲解，教师的主要职责是指导学生练习。"练习成为教材的主体"是本教材最大的特色。

　　第二语言教学的根本目的是提高学生使用目的语在一定范围内进行交际的能力。为此，学生必须完成"从语言知识到语言技能"和"从语言技能到语言交际技能"的两次转化。这里的关键是建立目的语的思维系统。为了训练学生的思维能力，开发他们的语言潜能，本教材的课文都采用更具挑战力的"未完成式"，使学生从被动地接受转变到主动地实践、主动地交际，真正成为学习的主人。

　　同时，我们认为，只有实行"强化＋科学化"的训练，才能提高训练的效果，达到速成教学的目标。所谓"强化"，就是进行大运动量的训练：一是在单位时间里给学生输入大量的语言信息，二是在单位时间里提高语言信息"输入输出"的次数。所谓"科学化"，就是训练要在先进教学法理论指导下进行，要"强化"得恰到好处，讲究训练的效果。

教师使用本教材时，最好先熟悉主干教材《速成汉语基础教程·综合课本》的内容，要了解学生的"已知"，了解这一课是配合综合课的哪一课或哪几课。在教学中，如果能够先安排一个回忆、复习综合课的环节，训练效果会更为理想。

本教材由两个部分组成：

一、听力练习

这是学生在听力课上做练习使用的。第一册的前 5 课为集中语音阶段，配合综合课的第一册。基本上是一课配两课。从第一册第 6 课开始，每课都设计了听前练习、听时练习、听后练习和泛听练习四个部分。听前练习为听时练习扫除障碍，是热身的环节。听时练习是整个训练的核心。教师要让学生带着问题听课文，听时有注意的方向，学会听的方法。听后练习是复习巩固的环节，帮助学生加深理解和记忆。泛听练习可在课上完成，也可在课下完成。为避免学生提前预习或看着课文听录音，这部分的课文均采用未完成式，每一课都设计了填空练习，学生做完了填空练习，就有了完整的课文，便于他们课后复习。为了有效地训练学生辨别语音声调和帮助学生熟悉聆听理解考试的题型和解题方法，第一册后附有大量"基础语音练习材料"。另，每册后边都附有"聆听理解综合测试试卷"。

二、学习指导

这一部分包括学生聆听的语料——课本和练习的录音文本、练习题及答案，也为教师上课提供参考，每一课都有学习目的和学习内容的提示，帮助教师和学生明确训练的目的和重点，便于学生主动地学习和复习。

尽管我们做了比较大的努力，但由于水平有限，可能还有很多不尽如人意的地方。希望老师们在使用的时候能够"扬长补短"，根据教学的实际情况灵活地处理它、完善它。

杨惠元

Foreword

Speed-up Chinese: Listening Books are supplementary textbooks of *Speed-up Chinese: An Integrated Book.* They also can be used independently. They are designed for the beginners in short-term study programs. They are in four volumes, with each volume containing 10 lessons.

As a set of textbooks for special training, this set of textbooks aims to train and improve students' abilities of listening and comprehending. We adopt the latest theories of accelerative Chinese teaching and listening training methods as the guideline in the process of compiling this set of textbooks.

The most significant feature of this set of books is that it is exercise-based. According to the latest textbook compiling principles, an effective textbook should be a carefully compiled series of exercises, namely "the exercises should be the main parts of the textbook". As a supplementary textbook, *Speed-up Chinese: Listening Book* does not introduce any new grammar, although there are some new words in it. Using this textbook in the class, the teacher should take his main responsibility to guide the students to do exercises instead of giving lectures too much.

The essential aim of second language teaching is to improve students' communicating ability in the target language to some extent. To achieve this goal, student should not only learn language knowledge, but train language skills, and also participate in communication as well. In this process, the most important thing is to build a thinking system based on the target language. In order to train students' thinking ability and develop their potentialities in language, we use the challenging unfinished materials in these textbooks, which can help the students to take part in communicating practices actively, instead of receiving knowledge passively.

We believe that only by taking the principle of "reinforcement and scientification" in the practice can we enhance the effect of drills and achieve the objectives of accelerative teaching. "Reinforcement" means that in a unit of time we must input massive language information to the students as much as possible through a large amount of drills. "Scientification" implies that the drills must be guided by the methodology of teaching so that the principle of"reinforcement" can be appropriately carried out.

Before using these textbooks in the class, the teacher had better have a thorough knowledge of what the content of the main textbook *Speed-up Chinese: An Integrated Book* is, what the students have known and what the corresponding relationship between the lessons of the comprehensive textbook and that of the listening textbook. An activity of recalling and reviewing the corresponding comprehensive lessons before the listening lessons will lead to a better effect.

This set of textbooks is consisted of two parts:

Part I: Listening Exercises

Listening Exercises are for classroom activities. The first 5 lessons of the volume 1 are the exercises for pronunciation designed for the volume 1 of the comprehensive textbook, generally one lesson of listening textbook for two of comprehensive textbooks. All the other lessons consist of four modules, namely pre-listening exercises, listening exercises, after-listening exercises and extensive listening exercises. Pre-listening exercises are warm-up activities. Listening exercises are the core drills in which listening strategies and methods will be taught. After-listening exercises are designed for reviewing and reinforcing. Extensive listening exercises can be arranged as assignments after class. The texts in the extensive listening exercises are with blanks.

In addition, a large amount of *Materials for Basic Pronunciation Practice* are provided in the appendix of volume 1 and the *Evaluation Paper* is attached to every volume. These materials can help the students to distinguish pronunciation and tones and to be familiar with the listening comprehension tests.

Part II: Learning Guide

Tape scripts for listening exercises, as well as the answers are concluded in this part for the students. This part also provides references for the teachers. Every lesson explains teaching objectives and contents, so that the teachers and students can clearly know the purpose and emphases of drills, then learn and review on their own initiative.

No textbook is perfect. These textbooks should be used in a flexible way so that their advantages can be developed and the disadvantages can be made up for.

Yang Huiyuan

CONTENTS

目 录

第一课

Nǐ hǎo!
你 好!

Hello!

一 模仿韵母

Imitate the finals

1. a   o   e   er   i   u   ü

2. ai   ei   ao   ou   an   en   ang   eng   ong

3. ia   ie   iao   iou (-iu)   ian   in   iang   ing   iong

4. ua   uo   uai   uei (-ui)   uan   uen   uang   ueng

5. üe   üan   ün

二 模仿声母

Imitate the initials

1. b   p   m   f   d   t   n   l

2. z   c   s   zh   ch   sh   r

3. j   q   x   g   k   h

三 模仿声调

Imitate the tones

ā	á	ǎ	à		yī	yí	yǐ	yì
bā	bá	bǎ	bà		mā	má	mǎ	mà
wū	wú	wǔ	wù		nī	ní	nǐ	nì
bāi	bái	bǎi	bài		hāo	háo	hǎo	hào

四 模仿定调音节
Imitate the syllables

dōu tīng	hái tīng	yě tīng	zài tīng	tīng de
dōu dú	hái dú	yě dú	zài dú	dú de
dōu xiě	hái xiě	yě xiě	zài xiě	xiě de
dōu kàn	hái kàn	yě kàn	zài kàn	kàn de

五 画出听到的韵母
Underline the finals you hear

1. ā   ō   2. ā   ē   3. ū   ǖ
4. āi   ēi   5. āo   ōu   6. ān   ēn
7. āng ēng   8. ēng ōng   9. ān   āng
10. ēn ēng   11. īn   īng   12. uān uēn
13. uāng uēng 14. uān uāng 15. uēn uēng

六 画出听到的声母
Underline the initials you hear

1. b   p   2. d   t   3. g   k
4. z   zh   5. c   ch   6. s   sh
7. z   c   8. zh ch   9. x   sh
10. sh r

3

七　听数字做手势

Listen to the numerals and make gestures

八　模仿

Imitate

九　听写音节

Syllable dictation

1.

2.

3.

第二课

Nín guìxìng?
您 贵姓?

What's Your Name?

一 模仿韵母
Imitate the finals

a o e i u ü

ai ei ao ou ua uo uai uei(-ui)

二 模仿声母
Imitate the initials

1. b p m f

2. d t n l

3. g k h

三 模仿定调音节
Imitate the syllables

dōu tīng	hái tīng	yě tīng	zài tīng	tīng de
dōu dú	hái dú	yě dú	zài dú	dú de
dōu xiě	hái xiě	yě xiě	zài xiě	xiě de
dōu kàn	hái kàn	yě kàn	zài kàn	kàn de

四 在表中相应的位置写出听到的音节序号

Put the numbers of the syllables you hear in the proper places of the following chart

表 1

	a	o	e	i	u	ü
b						
p						
m						
f						
d						
t						
n						
l						

表 2

	ai	ei	ao	ou	ua	uo	uai	uei(-ui)
g								
k								
h								

五 画出听到的声母

Underline the initials you hear

1. bá pá　　2. bō pō　　3. bǐ pǐ　　4. bù pù

5. dà tà　　6. dè tè　　7. dí tí　　8. dǔ tǔ

9. ná lá　　10. nǐ lǐ　　11. nù lù　　12. nǔ lǔ

13. gā kā hā   14. gé ké hé   15. gǔ kǔ hǔ

16. gāi hāi hāi   17. gào kào hào   18. gǒu kǒu hǒu

19. guà kuà huà   20. guò kuò huò   21. guī kuī huī

六 画出听到的韵母

Underline the finals you hear

1. b $\begin{cases} a \\ o \\ u \end{cases}$ 2. t $\begin{cases} a \\ e \\ u \end{cases}$ 3. f $\begin{cases} a \\ o \\ u \end{cases}$ 4. l $\begin{cases} a \\ e \\ u \end{cases}$ 5. g $\begin{cases} ai \\ ei \\ ao \end{cases}$

6. k $\begin{cases} ai \\ ei \\ ao \end{cases}$ 7. h $\begin{cases} ai \\ ei \\ ao \end{cases}$ 8. g $\begin{cases} ou \\ ua \\ uo \end{cases}$ 9. k $\begin{cases} ou \\ ua \\ uo \end{cases}$ 10. h $\begin{cases} ou \\ ua \\ uo \end{cases}$

七 画出听到的音节

Underline the syllables you hear

1. nǐ   wǒ   nín   tā

2. nǐ   wǒ   nín   tā

3. nǐ   wǒ   nín   tā

4. nǐ   wǒ   nín   tā

5. nǐmen   wǒmen   tāmen

6. nǐmen   wǒmen   tāmen

7. nǐmen   wǒmen   tāmen

8. lǎoshī   lǎoshi

9. guìxìng   kuài xìn

10. lái bu lái   lèi bu lèi

11. shì bu shì　　chī bu chī

12. kě bu kě　　hē bu hē

八　根据录音填声调

Put the proper tone mark above each syllable

yi	er	san	si	wu	liu
qi	ba	jiu	shi	hao	nin
women	nimen	tamen	laoshi	guixing	shanben
danei	baihua	meiguo	fanglong	kekoukele	

九　根据录音填写音节，然后朗读

Fill in the blanks with proper syllables and then read aloud

1. Nín_____?

2. Nín_____ma?

3. Nǐ_____Měiguó _____ma?

4. Nǐ hē bu hē_____?

第三课

Nǐmen zuìjìn máng ma?
你们 最近 忙 吗?

Have You Been Busy Recently?

一　模仿韵母

Imitate the finals

an　　　en　　　　ang　　　　eng　　　ong

uan　　　uen(-un)　　　uang　　　　ueng

二　模仿声母

Imitate the initials

z　　　c　　　s

三　模仿定调音节

Imitate the syllables

dōu tīng	hái tīng	yě tīng	zài tīng	tīng de
dōu dú	hái dú	yě dú	zài dú	dú de
dōu xiě	hái xiě	yě xiě	zài xiě	xiě de
dōu kàn	hái kàn	yě kàn	zài kàn	kàn de

四　在表中相应的位置写出听到的音节序号

Put the numbers of the syllables you hear in the proper places of the following chart

表1

	an	en	ang	eng	ong	uan	uen(-un)	uang	ueng
b									
p									
m									
f									
d									
t									
n									
l									
g									
k									
h									

表2

	a	e	-i	ai	ei	ao	ou	an	en
z									
c									
s									

	ang	eng	ong	u	uo	uei(-ui)	uan	uen(-un)	
z									
c									
s									

五　画出听到的音节

Underline the syllables you hear

1.	rénshì	rènshi	2.	shénme	shēngmǔ
3.	péngyou	pīnyīn	4.	mǐfàn	mǐfěn
5.	yí ge	yígòng	6.	mántou	mēntóu
7.	zuìjìn	zūnjìng	8.	wǎnshang	wánshàn
9.	zuòyè	zuòyuè	10.	shēngcí	shēngcài
11.	kànwàng	kèwén	12.	zuìjìn	fùjìn
13.	cèsuàn	cèsuǒ	14.	hànzì	háizi

六　听音节做动作

Listen to the syllables and make gestures

1. 听到带 an 的音节手向前指，听到带 ang 的音节手向后指
   Point to the front while you hear "an", and point to the back while you hear "ang"

2. 听到带 en 的音节指左边，听到带 eng 的音节指右边
   Point to the left while you hear "en", and point to the right while you hear "eng"

七　填韵母

Fill in the blanks with proper finals

Lǎo Ch_____ jiā yǒu yí ge dà p_____,

Dà p_____ li yǒu yí ge dà p_____,

Hūr_____ yízh_____ dà f_____,

Guādǎole dà p_____, záhuàile dà p_____.

F_____ t_____ le,

Lǎo Ch_____ g_____kuài xiūhǎole dà p_____,

Yòu mǎi le yí ge xīn dà p_____.

八　根据录音填声调，然后朗读

Put the proper tone mark about each syllable and then read aloud

1. Ni chi shengme cai?

2. Wo ye chi dunniurou.

3. Wo chi mifan，bu chi mantou.

4. Yigong ershi kuai.

5. Women de laoshi shi Zhongguoren.

6. Wang Huan shi wo de hao pengyou.

7. Nimen zuijin mang bu mang?

8. Ni mei tian wanshang zuo shenme?

9. Wo mei tian wanshang ji shengci，nian kewen，xie Hanzi，zuo lianxi.

10. Fujin you cesuo ma?

九　把听到的音节的声母和韵母用直线连起来

Match the initials with the finals to form the syllables you hear

l	ái
g	ǒu
n	ǎo
b	éi
h	uì
k	uài
m	uó
d	uà

十　辨音（和所听到的音节一样的画"√"，不一样的画"✕"）

Distinguish the sounds (Mark "√" as you hear the same syllables with the following，and mark "✕" if not the same)

1. wǎnshang　（　　）
2. zuóyè　（　　）
3. shēngcí　（　　）
4. kèwén　（　　）
5. nánbiān　（　　）
6. fùjìn　（　　）
7. shuōcuò　（　　）
8. xiéduì　（　　）
9. xiēxie　（　　）
10. cèsuǒ　（　　）

Nǐ   shēntǐ   zěnmeyàng?

你 身体 怎么样?

How Are You?

一　模仿韵母

Imitate the finals

ia　　　ie　　　iao　　　iou(-iu)

ian　　　in　　　iang　　　ing　　　iong

üe　　　üan　　　ün　　　er

二　模仿声母

Imitate the initials

zh　ch　sh　r　　j　　q　　x

三　根据录音填声调，然后朗读

Put the proper tone mark above each syllable and then read aloud

yuxi	fuxi	lianxi
xuexi	xiuxi	zhuyi
jinzhang	shang ke	xia ke
zaijian	shenti	meiyou
banfa	zenmeyang	tushuguan
shangdian	shudian	shitang
zhuozi	shujia	shoubiao
zher	nar	nar
pianyi	zhaoji	changchang

四 在表中相应的位置写出听到的音节的序号

Put the numbers of the syllables you hear in the proper places of the following chart

	üe	üan	ün
n			
l			
j			
q			
x			

五 听音节做动作

Listen to the syllables and make gestures

1. 听到带 z 的音节手掌平伸，听到带 zh 的音节四指上曲

   Extend the palm horizontally while you hear "z", and crook four fingers while you hear "zh"

2. 听到带 c 的音节手掌平伸，听到带 ch 的音节四指上曲

   Extend the palm horizontally while you hear "c", and crook four fingers while you hear "ch"

3. 听到带 s 的音节手掌平伸，听到带 sh 的音节四指上曲

   Extend the palm horizontally while you hear "s", and crook four fingers while you hear "sh"

六　根据录音填声母

Fill in the blanks with proper initials

__ì__ì　　　__ēng__ǎng　　　__ì__ào　　　__ù__uò

__uò__ǔ　　　__ǒng__ú　　　__ǔn__é　　　__ì__uàn

__ān__ē　　　__āo__ǎng　　　__ǔ__áng　　　__ái__ǎn

__ū__ì　　　__éng__ái　　　__ā__uò　　　__ù__éng

__ù__è　　　__ēng__è　　　__ēn__uō　　　__àng__ī

__uàn__ù　　　__ǔn__āng　　　__ōu__uō　　　__í__ì

__ī__ìrén　　　__uǎn__īncài　　　__ǐshǐ__ù

__ǐzhòng__ī　　　__ūróng__īn　　　__īchén__ì

__ì__ūnzhàn　　　__únzhòng__ìng　　　__īngcháng__ìng

__iànshí__ìng　　　__í__ǐzhízhuī　　　__ián__íngyìzhì

七　辨音（和所听到的音节一样的画"√"，不一样的画"×"）

Distinguish the sounds (Mark "√" as you hear the same syllables with the following，and mark "×" if not the same)

1. shēntǐ 　（　）　　　2. jiǎngzhāng 　（　）

3. xiǎoxi 　（　）　　　4. xuéxí 　（　）

5. yìxí 　（　）　　　6. fùyú 　（　）

7. liànxí 　（　）　　　8. zhùyì 　（　）

9. bànfǎ 　（　）　　　10. zàijiàn 　（　）

八 听句子，口头回答问题

Listen to the sentences and answer the questions orally.

九 听对话，判别正误（正确的画"√"，错误的画"✕"）

Listen to the dialogue，and identify the right and wrong sentences（Mark the right ones with "√"，the wrong ones with "✕"）

（一）1.　　　　2.　　　　3.

（二）1.　　　　2.　　　　3.

Nǐ měitiān tīng lùyīn ma?

你每天听录音吗？

Do You Listen to Recording Everyday?

一　模仿音节

Imitate the syllables

yíxiàr: wèn yíxiàr　　dú yíxiàr　　　xiě yíxiàr　　　kàn yíxiàr

niàn yíxiàr　　xiǎng yíxiàr　　liàn yíxiàr　　　zhǎo yíxiàr

qù yíxiàr　　jì yíxiàr　　　zuò yíxiàr　　chī yíxiàr

wánr yíxiàr　　rènshi yíxiàr　　jièshào yíxiàr　　fùxí yíxiàr

yùxí yíxiàr

r: zhèr　　nàr　　nǎr　　zhèbiānr　　nàbiānr　　nǎbiānr

huār: hónghuār　　báihuār　　huánghuār　　lánhuār　　zǐhuār

kòngr: yǒu kòngr　　méi yǒu kòngr

wánr: qù wǒ jiā wánr　　qù gōngyuánr wánr

gōngyuánr: qù gōngyuánr　　　　zài gōngyuánr

xiǎo gōngyuánr　　　　dà gōngyuánr

二　听写音节，然后朗读

Write down the syllables and then read them aloud

1.

2.

3.

4.

5.

6.

三　填调号，然后朗读

Put the proper tone mark above each syllable and then read aloud

jiangshan	jiangshui	jianghe	jiang'an
huaxin	huarui	hualan	huaban
chunfeng	chunyu	chunlan	chunse
hebian	heshui	hechuang	he'an
diandeng	dianying	dianchi	dianhua
yueguang	yuedi	yueqiu	yueye

四　把听到的词语的两个音节用直线连接起来

Match the left syllables with the right syllables to form the words you hear

xiǎng	yuǎn
yǒu	qǐ
bù	jìn
hěn	kàn
yì	huā
yí	jiā
hǎo	biān
lǐ	kòng
hóng	yuán
gōng	dìng

五 辨音（和所听到的音节一样的画"√"，不一样的画"×"）

Distinguish the sounds (Mark "√" as you hear the same syllables with the following, and mark "×" if not the same)

1. xuéyuàn （　　） 　　　 2. bāngzhù （　　）

3. wàiyǔ 　（　　） 　　　 4. sùshè 　（　　）

5. huānyíng （　　） 　　　 6. sùchéng （　　）

7. yǔyán 　（　　） 　　　 8. jùzi 　（　　）

9. kǒushì 　（　　） 　　　 10. fāyīn 　（　　）

11. shēngdiào （　　） 　　 12. yídìng 　（　　）

13. tīngxiě 　（　　） 　　 14. róngyì 　（　　）

15. lùyīn 　（　　）

六 听句子，口头回答问题

Listen to the sentences and answer the questions orally

七 听对话，选择正确的答案

Listen to the dialogue, and choose the best answer

（一）A　　　B

（二）A　　　B

（三）1. A　　　B　　　2. A　　　B　　　3. A　　　B

八 听对话，判别正误（正确的画"√"，错误的画"×"）

Listen to the dialogue，and identify the right and wrong sentences（Mark the right ones with "√", the wrong ones with "×"）

（一）1.　　　2.　　　3.　　　4.　　　5.

（二）1.　　　2.　　　3.　　　4.

（三）1.　　　2.　　　3.　　　4.

九 听短文，选择正确答案

Listen to the short passage，and choose the best answer

1. A　　B　　　2. A　　　B

第六课

Nǐmen de zuòyè duō bu duō?

你们的作业多不多?

Do You Have Much Homework?

1. 点	(量)	diǎn	o'clock
2. 迟到	(动)	chídào	to be late
3. 积极	(形)	jījí	active; actively
4. 检查	(动)	jiǎnchá	to test; to check up
5. 前边	(名)	qiánbiān	in front
6. 把	(介)	bǎ	*a preposition used in the* 把 *-structure*
7. 问题	(名)	wèntí	question
8. 可以	(能动)	kěyǐ	may; can
9. 先	(副)	xiān	first; before
10. 举	(动)	jǔ	to lift; to put up
11. 留	(动)	liú	to leave; to give
12. 考试	(动、名)	kǎoshì	to examine; examination
13. 准备	(动)	zhǔnbèi	to prepare; to get ready
14. 行	(量)	háng	line; row
15. 倒数	(动)	dàoshǔ	to count from the bottom
16. 完	(动)	wán	to finish; to be over
17. 茶	(名)	chá	tea
18. 好吃	(形)	hǎochī	delicious; good to eat

一、听前练习 Before Listening

（一）语音练习 Phonetic practice

1. 听写音节 Syllable dictation

(1){   (2){   (3){   (4){

(5){   (6){   (7){   (8){

2. 朗读 Read aloud

3. 辨别（请你画出听到的音节）
Distinguish (Underline the syllables you hear)

（二）词语练习 Word practice

边听边填空

Fill in the blanks while listening to the following sentences

1. 我说，你们_____。

2. 我念，你们_____。

3. 我们每天_____点上课。

4. 请大家_____要迟到。

5. 上课的时候要积极做_____。

6. 现在_____。

7. 我念三遍，第一遍你们_____，第二遍你们_____，第三遍你们检查。

8. 请你到前边_____，在黑板上_____。

9. 你们写在＿＿＿＿＿上。

10. 现在把＿＿＿＿＿给我。

11. 请你把本子交给＿＿＿＿＿。

12. 谁有问题，可以问＿＿＿＿＿。

13. 谁问问题请先举＿＿＿＿＿。

14. 现在留作业：第一，复习第十一课的＿＿＿＿＿、课文和语法；第二，预习第十二课的＿＿＿＿＿；第三，做练习三和练习四，练习三写在＿＿＿＿＿上，练习四写在＿＿＿＿＿上。

15. 明天有考试，请大家做＿＿＿准备。

16. 现在＿＿＿＿＿。

（三）句子练习　Sentence practice

听句子做动作　Listen to the sentences and make gestures

二、听时练习　While Listening

课文（一）

1. 听后口头回答问题　Listen and then answer the question orally

2. 听后选择正确答案　Listen and choose the correct answers

（1）A　　B　　（2）A　　B　　（3）A　　B

3. 填空　Fill in the blanks

情景：丁兰做完作业以后来艾米的宿舍。

丁兰：艾米，你做什么呢？

艾米: 做_____呢。你呢?

丁兰: 我做完作业了，现在休息休息。

艾米: 你们的作业_____?

丁兰: 不多。你们呢?

艾米: 很多。

丁兰: 什么_____?

艾米: 复习今天的生词、课文和语法，预习明天的生词，还得做
很多_____。

课文 (二)

1. 听后口头回答问题　Listen and then answer the questions orally

2. 听后选择正确答案　Listen and choose the correct answers

　　(1) A　　　　B　　　　(2) A　　　B

3. 填空　Fill in the blanks

情景: 艾米和丁兰说学习的问题。

艾米: 我们每天学习一课，有很多_____，我记不住。怎
么办呢?

丁兰: 你怎么记生词?

艾米: 我念一遍，念一遍，再念一遍。

丁兰: 你的方法不太好。记生词的时候要一边_____
一边想，一边写一边造句。

艾米: 你的方法很好。

丁兰：你可以试试。

艾米：我觉得＿＿＿＿＿＿＿很难，常常写错。你有好方法吗？

丁兰：汉字要跟词一起记。写汉字的时候要注意笔画和笔顺，

　　　还要＿＿＿＿发音和意思，多写多练。

课文 (三)

1. 听后判别正误　Listen and decide if the statements are true or false

（1）　　　　（2）　　　　（3）　　　　（4）　　　　（5）

2. 填空　Fill in the blanks

　　王才是中国学生，他在外语学院学习＿＿＿＿＿＿，他住 5 楼＿＿＿＿＿＿。最近他交了两个日本朋友，一个叫山本正，一个叫大内上子。山本和大内常常去王才的宿舍玩儿，他们一起喝茶、谈话，互相＿＿＿＿＿＿、互相帮助。

课文 (四)

1. 听后判别正误　Listen and decide if the statements are true or false

（1）　　（2）　　　　（3）　　　　（4）　　　　（5）　　　　（6）

2. 填空　Fill in the blanks

　　昨天我去丁兰家了。丁兰的家不太远。她家的前边有＿＿＿＿＿＿很大的商店。丁兰的家有＿＿＿＿＿＿口人：爷爷、奶奶、爸爸、妈妈、哥哥、嫂子和她。她爷爷和奶奶的身体很好。丁

的爸爸是老师, 妈妈是＿＿＿＿＿, 哥哥和嫂子都是工人。他们请我在她家吃饭, 他们做的中国饭很＿＿＿＿＿。

课文(五)

1. 听后口头回答问题 Listen and then answer the question orally

2. 听后判别正误 Listen and decide if the statemants are true or false
   (1) (2) (3) (4) (5) (6)

3. 填空 Fill in the blanks

情景：丁兰在图书馆前边遇见大内上子。

丁兰: 大内, 好久不见了, 你＿＿＿＿＿＿怎么样?

大内: 很好, 谢谢, 你呢?

丁兰: 我也很好。你们最近＿＿＿＿＿＿?

大内: 忙极了。我们每天学习一课, 得记很多生词, 还得写很多汉字。

丁兰: ＿＿＿＿＿＿对你们日本人不太难吧?

大内: 也很难。日语的汉字跟汉语发音不一样, 词的意思也不完全一样。

三、听后练习 (4 段课文再听一遍)
After Listening (Listen to all the texts above again)

(一) 快速口头回答问题
Answer the questions quickly and orally.

（二）根据实际情况口头回答问题
Answer the questions orally according to real situations

四、泛听练习　Extensive Listening

（一）听写

听后判别正误　Listen and decide if the statements are true or false

(1)　　　(2)　　　(3)　　　(4)　　　(5)

（二）今天学习第六课

听后根据课文中事情发生的顺序在括号中写序号
Listen and sequence the events by writing the numbers in the brackets
according to the text

（　　）艾米回答问题

（　　）听课文

（　　）山本念生词

（　　）贝拉回答问题

（　　）老师留作业

（　　）山本回答问题

Nǐ jiā dōu yǒu shénme rén?

你家都有什么人?

How Many People Do You Have in Your Family?

New Words 生词

1. 块	（量）	kuài	*a measure word*
2. 牌子	（名）	páizi	sign, plate
3. 迎接	（动）	yíngjiē	to welcome
4. 外国	（名）	wàiguó	foreign country
5. 走	（动）	zǒu	to walk
6. 过来	（动）	guòlai	to come over
7. 关照	（动）	guānzhào	to look after
8. 过	（助）	guo	*an aspect particle*
9. 照片	（名）	zhàopiàn	photograph
10. 聪明	（形）	cōngming	clever
11. 聊天儿		liáo tiānr	to chat
12. 爱人	（名）	àiren	husband or wife

▶ 专名 **Proper noun**

东京	Dōngjīng	Tokyo

一、**听前练习** Before Listening

（一）语音练习 Phonetic practice

1. 听写音节 Syllable dictation

(1){   (2){   (3){   (4){

(5){   (6){   (7){   (8){

2. 朗读 Read aloud

3. 辨别（请你画出听到的音节）

Distinguish(Underline the syllables you hear)

（二）词语练习 Word practice

听句子挑出生词

Listen and choose the new words in the sentences

（三）句子练习 Sentence practice

1. 听句子判别正误

Listen to the sentences and decide if the explanations are right or wrong

(1)   (2)   (3)   (4)   (5)   (6)

2. 听句子，从下面 A、B 两句中选出恰当的下句

Listen to the first sentence, then choose the proper sentence followed from A and B

(1) A   B   (2) A   B   (3) A   B

(4) A   B   (5) A   B   (6) A   B

二、听时练习 While Listening

课文 (一)

1. 听后口头回答问题　Listen and then answer the questions orally

2. 听短文，说出短文与课文（一）的异同

   Listen to the short passage and tell the differences from text（1）

3. 填空　Fill in the blanks

情景：王欢举着一块牌子迎接来北京语言大学的外国学生。山本正和大内上子走过来。

　　山本：请问，您是北京语言大学的＿＿＿＿＿＿＿＿吗？

　　王欢：是，你们是学生吧？

　　山本：对，我们去贵校学习。我叫山本正，她叫大内上子。

　　大内：我们是＿＿＿＿＿＿＿＿。

　　王欢：欢迎，欢迎！我叫王欢，是汉语速成学院办公室的老师。

　　山本：王老师，您好！

　　大内：您好，请多关照！

　　王欢：别＿＿＿＿＿＿＿。你们在这儿等一下儿。

课文 (二)

1. 听后口头回答问题　Listen and then answer the questions orally

2.听短文，说出短文与课文（二）的异同

Listen to the short passage and tell the differences from text（2）

3.填空　Fill in the blanks

情景：王欢看见艾米出来就迎了上去。

王欢：请问，你是北京语言大学的学生吗？

艾米：是，你是——？

王欢：我叫＿＿＿＿＿＿＿＿，是北京语言大学的老师。

艾米：王老师，您好！

王欢：你是美国学生，叫＿＿＿＿＿＿＿＿，对不对？

艾米：你怎么知道我的名字？

王欢：你猜猜。

艾米：你看过我的＿＿＿＿＿＿＿＿。

王欢：哈哈，你很聪明。

课文　（三）

1.听后口头回答问题　Listen and then answer the questions orally

2.听短文，说出短文与课文（三）的异同

Listen to the short passage and tell the differences from text（3）

3.填空　Fill in the blanks

情景：王欢跟山本正聊天儿。

王欢：山本，你的家在东京吗？

山本：在＿＿＿＿＿＿＿＿＿。

王欢：你家都有什么人？

山本：有爷爷、奶奶、爸爸、妈妈、哥哥、姐姐和我。

王欢：一共＿＿＿＿＿＿＿＿口人。

山本：对，我们是一个大家庭。

王欢：你爸爸做什么工作？

山本：他是＿＿＿＿＿＿＿＿。

王欢：你妈妈呢？

山本：她不＿＿＿＿＿＿＿＿，是家庭主妇。

课文（四）

1. 听后口头回答问题　Listen and then answer the questions orally

2. 听短文，说出短文与课文（四）的异同

Listen to the short passage and tell the differences from text（4）

3. 填空　Fill in the blanks

情景：王欢跟大内上子聊天儿。

王欢：大内，你家有＿＿＿＿＿＿人？

大内：四口，爸爸、妈妈、哥哥和我。

王欢：你爸爸做什么工作？

大内：他是大学＿＿＿＿＿＿。

王欢：你妈妈也是老师吗？

大内：不是，她是＿＿＿＿＿＿＿。

王欢：你哥哥呢？

大内：他也是学生，他是＿＿＿＿＿＿＿。

课文（五）

1. 听后口头回答问题　Listen and then answer the questions orally

2. 听短文，说出短文与课文（五）的异同

　　Listen to the short passage and tell the differences from text（5）

3. 填空　Fill in the blanks

情景：王欢跟艾米聊天儿。

王欢：艾米，你想什么呢？

艾米：＿＿＿＿＿＿＿。

王欢：你家有谁？

艾米：爸爸、妈妈，还有＿＿＿＿＿＿＿。

王欢：你爸爸、妈妈身体好吗？

艾米：很好，谢谢。王老师，你家有几口人？

王欢：三口，爱人、＿＿＿＿＿＿＿和我。

艾米：你爱人也是老师吗？

王欢：不是，她是医院的＿＿＿＿＿＿＿。

三、听后练习 After Listening

(一) 快速口头回答问题

Answer the questions quickly and orally

(二) 介绍自己或自己的家庭,其他人听后复述

One person introduces himself or his family, other persons listen and retell it

四、泛听练习 Extensive Listening

(一) 想你的听写吧!

听后选择正确答案 Listen and choose the correct answer

(1) A 　B 　　(2) A 　B

(二) 今天晚上你做什么?

听后选择正确答案 Listen and choose the correct answers

(1) A 　B 　　(2) A 　B

(三) 不是"再见"

听后选择正确答案 Listen and choose the correct answers

(1) A 　B 　　(2) A 　B 　　(3) A 　B

(四) 我的家

1. 听后选择正确答案　Listen and choose the correct answers

（1）A　　B　　C　　　　　（2）A　　B　　C

2. 选图：哪张图是我的家？（写序号）

Choose which is the picture of my family(write out the right sequence number)?

图1　　　　　图2　　　　　图3

我的家：

(五) 三个家庭

选图：谁和谁是一家人？（写序号）

Choose the pictures：Who are of the same family？ （write out the numbers）

图4　　　　　图5　　　　　图6

45

图 7   图 8   图 9

图 10   图 11   图 12

小明家：

小宁家：

小平家：

Wǒmen de sùshè zài nǎr?

我们 的 宿舍 在 哪儿?

Where Is Our Dormitory?

New Words
生词

1. 接	(动)	jiē	to receive
2. 安排	(动、名)	ānpái	to arrange; arrengement
3. 手续	(名)	shǒuxù	formalities, procedure
4. 卫生间	(名)	wèishēngjiān	toilet
5. 另	(代)	lìng	other
6. 住宿	(动)	zhùsù	to get accommodation
7. 带	(动)	dài	to bring, to take
8. 参观	(动)	cānguān	to visit
9. 校园	(名)	xiàoyuán	campus
10. 小卖部	(名)	xiǎomàibù	retail store
11. 课本	(名)	kèběn	textbook
12. 发	(动)	fā	to send out
13. 入学		rù xué	to enter school
14. 开学		kāi xué	to begin class
15. 典礼	(名)	diǎnlǐ	ceremony
16. 墙	(名)	qiáng	wall
17. 像	(动)	xiàng	to be like

一、听前练习 Before Listening

(一)语音练习 Phonetic practice

1. 听写音节 Syllable dictation

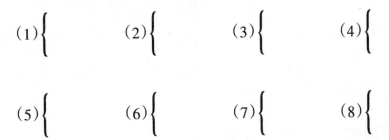

2. 朗读 Read aloud

3. 辨别（请你画出听到的音节）

Distinguish(Underline the syllables you hear)

(二)词语练习 Word practice

听句子挑出生词

Listen and choose the new words in the sentences

(三)句子练习 Sentnce practice

1. 听句子，从 A、B 两句中选择恰当的下句

Listen to the first sentence，then choose the proper sentence from A and B

(1) A   B   (2) A   B   (3) A   B

(4) A   B   (5) A   B   (6) A   B

(7) A   B   (8) A   B

2. 听 A 说的句子，从 B1、B2 两句中选择 B 应该说什么
Which is the proper response to what A says?

（1）B1   （2）B1   （3）B1   （4）B1
     B2   B2   B2   B2
（5）B1   （6）B1   （7）B1   （8）B1
     B2   B2   B2   B2

二、听时练习　While Listening

课文（一）

1. 听后口头回答问题　Listen and then answer the questions orally

2. 根据听到的内容把左边和右边相关的词语用直线连起来
Listen and match the words in the left and right columns according to what you hear

1 个	教学楼
1 个	办公楼
3 个	图书馆
3 个	书店
4 个	商店
5 个	食堂
14 个	宿舍楼

3. 填空　Fill in the blanks

情景：王欢把同学们接到学校。

王欢：到了，你们看，这就是我们的＿＿＿＿＿＿。

大内：啊，这个学校真大！

王欢：是啊，我们学校有＿＿＿＿＿个教学楼，还有办公楼、图书馆、＿＿＿＿个书店、＿＿＿＿＿个商店、＿＿＿个食堂和＿＿＿个宿舍楼。

艾米：我们的宿舍在哪儿？

王欢：别着急，那个楼就是。

课文（二）

1. 听后口头回答问题　Listen and then answer the questions orally

2. 填空　Fill in the blanks

情景：在学生宿舍楼，服务员给同学们安排房间。

服务员：你们好！

同学们：你好，小姐！

服务员：你们要＿＿＿＿＿样儿的房间？

艾　米：这儿的房间住一天多少钱？

服务员：双人房间一天＿＿＿＿＿美元，一个人＿＿＿＿＿美元。

艾　米：大内，我们两个人住一个房间好吗？

大　内：太好了。

服务员：＿＿＿＿＿＿＿层行吗？

大　内：＿＿＿＿＿＿层有吗？最好是＿＿＿＿＿＿层。

服务员：对不起，＿＿＿＿＿＿层没有了，＿＿＿＿＿＿层还有一间。

艾　米：＿＿＿＿＿＿层也可以。

服务员：＿＿＿＿＿＿房间，请你们到那儿交钱办手续。

山　本：小姐，我要一个有空调和卫生间的房间。

服务员：这个楼没有，那个楼有。

课文 (三)

1. 听后口头回答问题　Listen and then answer the questions orally

2. 听后选择正确答案　Listen and choose the correct answers

　　(1) A　　　　B　　　(2) A　　　　B

　　(3) A　　　　B　　　(4) A　　　　B

3. 填空　Fill in the blanks

情景：山本正在另一个宿舍楼跟服务员谈话。

山　本：小姐，我要一个有空调和卫生间的房间。

服务员：你要住多少天？

山　本：＿＿＿＿＿＿周。住一天多少钱？

服务员：你付美元还是人民币？

山　本：美元。

服务员：_____美元一天。

山　本：我一个人住行吗?

服务员：单人间_____美元一天。

山　本：好。

课文 (四)

1. 听后口头回答问题　Listen and then answer the questions orally

2. 填空　Fill in the blanks

情景：同学们办完住宿手续，王欢带他们参观校园。他们先来到学校的小卖
　　　部。

大　内：王老师，那是书店吗?

王　欢：不，那是商店。你想买书吗?

艾　米：老师，我想买_____。

王　欢：好，我们先去商店看看。

售货员：你们买什么?

艾　米：我买_____个本子和_____支圆珠笔。

山　本：我要_____支钢笔。

课文 (五)

1. 听后口头回答问题　Listen and then answer the questions orally

2. 填空　Fill in the blanks

情景：他们在商店买完本子和笔来到书店。

大　内：请问，有_____吗？

售货员：有，你要什么词典？

大　内：我想买一本_____词典。

售货员：汉日词典现在没有。

大　内：什么时候有？

售货员：_____以后。

山　本：这儿的汉语课本真多，也很便宜。

王　欢：别买汉语课本，老师发给你们。

课文（六）

1. 听后口头回答问题　Listen and then answer the questions orally

2. 填空　Fill in the blankshe blanks

情景：最后他们来到教学楼。

王欢：这是教学楼，老师的办公室都在_____，教室在_____

和_____。下午两点以后你们来办入学手续。

艾米：我们明天上不上课？

王欢：明天不上课。明天有开学典礼和入学考试，_____

上课。

艾米：考试难不难？

王欢：不太难。

三、听后练习　After Listening

（一）小结（6段课文再听一遍）

Sum up (Listen again to all the texts above)

（二）根据实际情况快速口头回答问题

Answer the questions quickly and orally according to the real situation

四、泛听练习　Extensive Listening

（一）山本的房间

听后选择正确答案　Listen and choose the correct answers

(1) A　　　　B　　　　(2) A　　　　B

(3) A　　　　B　　　　(4) A　　　　B

（二）外文书店

听后选择正确答案　Listen and choose the correct answer

A　　　　B　　　　C　　　　D

（三）方云天的房间

听后说出课文中写的房间跟图1中画的房间的异同

Listen and tell the differences of the rooms

between the text and the picture

图1

(四) 教师宿舍楼

根据图2写出四位老师各住几号

Fill in the room numbers of the four teachers in the picture

张老师：_____ 号；

王老师：_____ 号；

李老师：_____ 号；

刘老师：_____ 号。

图2

第九课

Nǐmen bān yǒu duōshao xuésheng?

你们 班 有多少 学生？

How Many Students Are There in Your Class?

New Words
生词

1. 参加	(动)	cānjiā	to join, to take part in
2. 话题	(名)	huàtí	subject of a talk
3. 课程	(名)	kèchéng	course
4. 告诉	(动)	gàosu	to tell
5. 继续	(动)	jìxù	to continue
6. 可不是		kěbúshì	that's right
7. 商量	(动)	shāngliang	to consult, to discuss
8. 为了	(介)	wèile	in order to
9. 短期	(名)	duǎnqī	short-term
10. 分为		fēn wéi	to divide into
11. 进修	(动)	jìnxiū	to make advanced studies
12. 水平	(名)	shuǐpíng	level
13. 综合	(动)	zōnghé	comprehensive

▶ 专名　**Proper noun**

联合国	Liánhéguó	the United Nations

一、听前练习　Before Listening

（一）语音练习　Phonetic practice

1. 听写音节　Syllable dictation

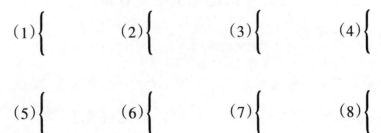

2. 朗读　Read aloud

3. 辨别（请你画出听到的音节）
Distinguish(Underline the syllables you hear)

（二）词语练习　Word practice

听句子挑出生词

Listen and choose the new words in the sentences

（三）句子练习　Sentence practice

听句子判别正误

Listen to the sentences and decide if the explanations are right or wrong

(1)　　(2)　　(3)　　(4)　　(5)　　(6)

二、听时练习　While Listening

课文（一）

1. 听后口头回答问题　Listen and then answer the questions orally

2. 填空　Fill in the blanks

情景：同学们在教室里参加入学考试。

艾米：老师，今天的考试是笔试还是口试？

老师：先笔试后＿＿＿＿＿＿＿。

（两个小时以后，考试结束了。艾米、大内和三木谈今天的考试。）

艾米：今天的笔试太难了。大内，你觉得呢？

大内：笔试不太难，＿＿＿＿＿＿＿太难了。

三木：我觉得笔试和口试都不太难。

老师：艾米和大内可以在＿＿＿＿＿＿班学习，三木，你最好去
＿＿＿＿＿＿班。

课文（二）

1. 听后口头回答问题　Listen and then answer the questions orally

2. 填空　Fill in the blanks

情景：第一次课后，大内在路上遇见三木，谈课程和老师。

大内：你好！三木。今天的课怎么样？

三木：很有意思。我们班有＿＿＿＿＿＿个老师，教速成汉语课的
老师年纪比较＿＿＿＿＿＿，口语老师很年轻。

大内：还有别的课吗？

三木：还有＿＿＿＿＿＿课，今天没上。别的同学告诉我，那个老
师又年轻又漂亮。你们呢？

大内：现在只有速成汉语课，两个老师教。方老师是年纪大的

男老师，白老师是年轻的_____老师。

课文 (三)

1. 听后口头回答问题　Listen and then answer the questions orally

2. 填空　Fill in the blanks

情景：三木和玛丽在食堂刚买好饭菜，看见艾米进来。

三木：艾米，到这儿来吃吧！

艾米：是三木啊，这么多菜！

三木：咱们_____吃吧，我请客。

艾米：你请客，谁付钱？

三木：当然是我。来，我_____一下。这位是我们班的

玛丽，她是英国人。这位是我的美国朋友艾米。

艾米：你好，玛丽！

玛丽：艾米，你好！你们班有多少学生？

艾米：_____个。_____个男生，_____个

女生。你们班呢？

三木：_____个学生，有_____个是女生。

艾米：你一定很喜欢你的班。

三木：当然了。

课文（四）

1. 听后口头回答问题　Listen and then answer the questione orally

2. 填空　Fill in the blanks

情景：他们继续一边吃饭一边谈话。

玛丽：你们班都是美国人吗？

艾米：不，有＿＿＿＿＿＿个美国人、＿＿＿＿＿＿个意大利人、＿＿＿＿＿＿个德国人、＿＿＿＿＿＿个英国人、＿＿＿＿＿＿个法国人、＿＿＿＿＿＿个西班牙人，还有两个日本人和两个韩国人。

玛丽：你们班是个小联合国。

艾米：可不是，你们班呢？

三木：10个学生，9个是＿＿＿＿＿＿人。

艾米：你更喜欢你的班了？

三木：
艾米：（二人同时）当然了！

课文（五）

1. 听后口头回答问题　Listen and then anewer the questions orally

2. 填空　Fill in the blanks

情景：下课以后，山本请白老师辅导他发音。

山本：白老师，我的＿＿＿＿＿＿不好，想请您帮助我练习发音。

老师：对不起，我最近很忙。

山本：您帮我找一位老师行吗？

老师：行，你想找什么样的？

山本：最好是发音好的_____人，懂日语更好。

老师：年纪大的还是年轻的？

山本：都行。

老师：每周几次？

山本：三次。周一、周三、周五下午_____点到_____点。每小时多少钱？

老师：你们自己商量，好吗？

山本：好吧。

三、听后练习　After Listening

（一）快速完成句子　Complete the sentences quickly

（二）根据实际情况快速口头回答问题
Answer the questions quickly and orally according to the real situations

四、泛听练习　Extensive Listening

（一）你为什么学习英语？

听后判别正误　Listen and decide if the statements are true or false

（1）　　　　（2）　　　　（3）　　　　（4）

(二)学习汉语的目的

听后选择正确答案　Listen and choose the correct answers

（1）A　　B　　C　　　　（2）A　　B　　C

（3）A　　B　　C　　　　（4）A　　B　　C

(三)进修系和速成系

听后选择正确答案　Listen and choose the correct answers

（1）A　　B　　C　　　　（2）A　　B　　C

（3）A　　B　　C

(四)三个班的老师

听后填表（把每个班老师的特点填到表里）

Listen and fill out the form（Write out the characters of each teacher）

班级　　课型	综合课	口语课	听力课
B1 班			
B2 班			
B3 班			

Fāng lǎoshī zhùzài zhèr ma?

方老师 住在 这儿 吗?

Does Mr. Fang Live Here?

New Words
生词

1. 过	（动）	guò	to spend
2. 热闹	（形）	rènao	bustling with noise and excitement
3. 门铃	（名）	ménlíng	door bell
4. 响	（动）	xiǎng	to ring, to sound
5. 阿姨	（名）	āyí	auntie
6. 虎	（名）	hǔ	tiger
7. 毛笔	（名）	máobǐ	writing brush
8. 干	（动）	gàn	to do, to work
9. 运动	（动、名）	yùndòng	sports
10. 网球	（名）	wǎngqiú	tennis
11. 同意	（动）	tóngyì	to agree
12. 玩具	（名）	wánjù	toy
13. 管	（动）	guǎn	to manage, to be in charge of something
14. 挣	（动）	zhèng	to earn (money)

一、**听前练习** Before Listening

（一）语音练习 Phonetic practice

1. 听写音节 Syllable dictation

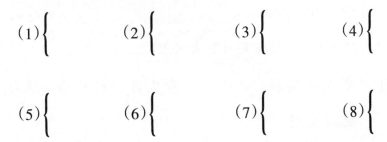

2. 朗读 Read aloud

3. 辨别（请你画出听到的音节）

Distinguish(Underline the syllables you hear)

（二）词语练习 Word practice

听句子挑出生词

Listen and choose the new words in the sentences

（三）句子练习 Sentence practice

听句子，口头回答问题

Listen to the sentences and then answer the questions orally

二、**听时练习** While Listening

课文（一）

1. 听后口头回答问题 Listen and then answer the questions orally

2. 听后选择正确答案　Listen and choose the correct answers

（1）A　　　B　　　（2）A　　　B　　　（3）A　　　B

（4）A　　　B　　　（5）A　　　B

3. 填空　Fill in the blanks

情景：方龙和妻子陈红商量请贝拉来家里过生日。

方　龙：明天是贝拉＿＿＿＿＿＿岁生日，我想请她来咱们家，给

　　　　她过生日。

陈　红：贝拉？就是那个喜欢中国画儿的意大利姑娘吧？

方　龙：对，就是她。

陈　红：那我们得好好准备一下。云天，你的房间要收拾干净，

　　　　我去买＿＿＿＿＿＿、蜡烛和生日蛋糕。

方云天：您在家里收拾房间，我去买东西吧。

陈　红：也行。

方　龙：给云明打个＿＿＿＿＿，明天带小虎回来。

陈　红：对，人多热闹。

课文（二）

1. 听后口头回答问题　Listen and then answer the questions orally

2. 听后选择正确答案　Listen and choose the correct answers

（1）A　　　B　　　（2）A　　　B　　　（3）A　　　B

（4）A　　　B　　　（5）A　　　B

3. 填空　Fill in the blanks

情景：第二天，方云明和妻子李华带小虎回来，10点钟贝拉来到方老师家。门铃响，小虎去开门。

小虎：阿姨，你找谁？

贝拉：＿＿＿＿＿＿老师是住在这儿吗？

小虎：是。爷爷，有个阿姨找您。

方龙：贝拉，快请进！

贝拉：方老师，您好！这＿＿＿＿＿＿是送给您全家的。祝你们事事顺利、身体健康！

方龙：谢谢！我来介绍一下，这是我爱人陈红，这是贝拉。

贝拉：方老师，我叫她什么？叫她陈阿姨行吗？

方龙：行。她也是老师。你叫她陈＿＿＿＿＿＿吧。

贝拉：陈老师，您好！

陈红：你好！请坐，喝点儿茶吧。

贝拉：谢谢！

课文（三）

1. 听后口头回答问题　Listen and then answer the questions orally

2. 听后选择正确答案　Listen and choose the correct answers

（1）A　　B　　　（2）A　　B　　　（3）A　　B

（4）A　　B　　　（5）A　　B

3. 填空　Fill in the blanks

情景：方龙继续给贝拉介绍。

方　龙：这是我的大儿子方云明，他的爱人李华。

贝　拉：你们好！认识你们很＿＿＿＿＿＿＿＿。

方去明：欢迎欢迎！

李　华：欢迎你来我们家。

方　龙：他就不用介绍了吧？

贝　拉：方云天，我们是老＿＿＿＿＿＿＿＿了。

方云天：今天你又认识了很多新朋友。

小　虎：阿姨，你认识我吗？

贝　拉：你是小虎。

小　虎：你怎么知道？

贝　拉：你猜。

小　虎：你一定看过我的＿＿＿＿＿＿＿＿，是我爷爷给你看的，
　　　　对不对？

贝　拉：小虎真聪明！

课文 (四)

1. 听后口头回答问题　Listen and then answer the questions orally

2. 听后选择正确答案　Listen and choose the correct answers

（1）A　　　B　　　（2）A　　　B　　　（3）A　　　B

（4）A　　　B　　　（5）A　　　B

3. 填空　Fill in the blanks

情景：贝拉来到方云天的房间，小虎也跟了进来。

方云天：贝拉，这就是我的＿＿＿＿＿＿。

贝　拉：啊，真干净！

小　虎：阿姨，他今天打扫得很＿＿＿＿＿＿，东西收拾得也很

整齐，可是以前不这样。

贝　拉：真的吗？

小　虎：阿姨，是真的。

贝　拉：云天，你一个人住吗？

方云天：＿＿＿＿＿＿。我哥哥和嫂子不住在这里，这个家只有爸

爸、妈妈和我。爸爸、妈妈住那个房间。

贝　拉：小虎，你家离这儿远不远？

小　虎：＿＿＿＿＿＿，我们常常回来看爷爷、奶奶。

课文（五）

1. 听后口头回答问题　Listen and then answer the questions orally

2. 听后选择正确答案　Listen and choose the correct answers

（1）A　　B　　C　　　　（2）A　　B　　C

（3）A　　B　　C　　　　（4）A　　B

（5）A　　B

3. 填空 Fill in the blanks

情景：吃饭以前，方龙一家人送给贝拉生日礼物。

方　龙：贝拉，今天是你的生日，我代表全家祝你生日快乐。这是我和陈老师送你的生日礼物——一本《现代汉语_____》。

贝　拉：太谢谢你们了，我正想买这本词典呢。

小　虎：阿姨，我爷爷说你是属猴的。我送你一张_____。

贝　拉：这只小猴真可爱！你属什么？

小　虎：属虎。

贝　拉：怪不得你叫小虎呢。

方云天：你正在学习中国画儿，是吧？我送给你一支_____，你喜欢吗？

贝　拉：喜欢，太喜欢了！谢谢你们！

陈　红：这是为你准备的生日蛋糕和蜡烛。

方云天：我们一起唱《祝你生日快乐》。　(唱歌)

三、听后练习　After Listening

(一)小结：5段课文再听一遍，用简单的话说出这5段课文的主要内容

Sum up：Listen to all the texts above and briefly tell the major content of each text

(二)快速口头回答问题

Answer the questions quickly and orally

四、泛听练习 Extensive Listening

(一) 你们要经理吗？

听后选择正确答案 Listen and choose the correct answers

(1) A   B   (2) A   B   C

(二) 小杨、小黄和小王的生日

听后在人名和各自的生日之间连线
Listen and match each person with the date of birth

小杨
                          4 月 4 日
                          4 月 10 日

小黄
                          4 月 14 日
                          10 月 4 日

小王
                          10 月 10 日
                          10 月 14 日

(三) 三个孩子

选图：听后从下面三张图中分别选出小明、小平、小宁（写序号）
Choose the pictures：Match the right picture with the right person(write out the numbers)

图1 图2 图3

小明： 小平： 小宁：

(四) 他想要一只小狗

听后判别正误 Listen and decide if the statements are true or false

（1） （2） （3）

(五) 我的朋友李冬

听后连线：李冬在各个时期分别想当什么人？
Listen and match: what did or will Li Dong want to be at each stage of life?

小时候 校长

中学的时候 经理

现在 老师

聆听理解

综合测试卷

第一部分

1. A. 他明年一定来。
   B. 他明年可能来。
   C. 他明年不打算来。
   D. 他明年再决定来不来。

2. A. 三口人。
   B. 四口人。
   C. 五口人。
   D. 六口人。

3. A. 春天。
   B. 夏天。
   C. 秋天。
   D. 冬天。

4. A. 他想下午去看李老师。
   B. 他下午去看李老师了。
   C. 他没去过李老师家。
   D. 同学们告诉他李老师家的地址。

5. A. 汽车上。
   B. 汽车站。
   C. 路上。
   D. 公园里。

6. A. 有人想借阿里的字典。
   B. 阿里想借一本字典。
   C. 我想借阿里的字典。
   D. 阿里的字典不在我这儿。

7. A. 张先生。
   B. 山本正。
   C. 布朗。
   D. 服务员。

8. A. 他不饿,不想吃东西。
   B. 他病了,不想吃东西。
   C. 他觉得菜不好吃。
   D. 他觉得菜太少了。

9. A. 苏州。
   B. 上海。
   C. 北京。
   D. 杭州。

10. A. 一家饭馆。
    B. 张老师家。
    C. 李方家。
    D. 王林家。

11. A. 特别热。
    B. 比较热。
    C. 不太热。
    D. 一点儿也不热。

12. A. 李小丽。
    B. 李小丽的妹妹。
    C. 李小丽的男朋友。
    D. 李小丽妹妹的男朋友。

13. A. 别的学生比他更聪明。
    B. 他跟别的学生一样聪明。
    C. 像他那样聪明的学生有很多。
    D. 他比别的学生都聪明。

14. A. 8 点 30。
    B. 9 点。
    C. 9 点 30。
    D. 10 点。

15. A. 他不知道去天安门怎么走。
    B. 他告诉别人去天安门怎么走。
    C. 别人告诉他去天安门怎么走。
    D. 他跟朋友一起去天安门。

第二部分

16. A. 让女的自己去找他哥哥借书。
    B. 让女的自己去图书馆借书。
    C. 不可以帮女的借书。
    D. 可以帮女的借书。

17. A. 问路。
    B. 找人。
    C. 打电话。
    D. 预订房间。

18. A. 格林的身体很不好。
    B. 格林每次考试都生病。
    C. 格林不喜欢考试。
    D. 格林考试以后病了。

19. A. 家里。
    B. 广州。
    C. 天津。
    D. 上海。

20. A. 质量。
    B. 样子。
    C. 颜色。
    D. 价钱。

21. A. 东边。
    B. 西边。
    C. 南边。
    D. 北边。

22. A. 62369557。
    B. 62369575。
    C. 62365228。
    D. 62365282。

23. A. 她得开始工作了。
    B. 她上班迟到了。
    C. 她上班时常常跟别人聊天。
    D. 她工作很忙。

24. A. 香港。

    B. 上海。

    C. 西安。

    D. 洛阳。

25. A. 很准。

    B. 停了。

    C. 快了。

    D. 慢了。

26. A. 他认为事情很容易做。

    B. 他认为大家的事情都是一样的。

    C. 他很愿意帮忙。

    D. 他可以顺便帮忙。

27. A. 非常好看。

    B. 还可以。

    C. 一点儿也不好看。

    D. 想知道什么方面好看。

28. A. 机场。

    B. 剧场。

    C. 车站。

    D. 商场。

29. A. 他不知道说什么。

    B. 他不喜欢讲话。

    C. 他知道的情况很多。

    D. 他很谦虚，不愿意多说。

30. A. 他不是有名的教授。

    B. 他不能教对方。

    C. 他不愿意帮助人。

    D. 他很谦虚。

31. A. 报纸。

    B. 小说。

    C. 画报。

    D. 杂志。

32. A. 认为不应该这样。

    B. 认为很严重。

    C. 认为没关系。

    D. 认为可以不管。

33. A. 没有时间去。

    B. 去，可不一定什么时候到。

    C. 可能去。

    D. 一定不去。

34. A. 他们明天去做什么。

    B. 他们明天见面的具体时间。

    C. 他们明天见面的地点。

    D. 明天电影开演的时间。

35. A. 他考上了北京大学。

    B. 他不想考北京大学。

    C. 他打算考北京的一所大学。

    D. 他没考上北京大学。

第三部分

36. A. 傍晚。

    B. 下午。

    C. 中午。

    D. 上午。

37. A. 她最近很忙。

    B. 她今天晚上有课。

    C. 她想借一本书。

    D. 她正在做饭。

38. A. 师生。

    B. 同事。

    C. 邻居。

    D. 同学。

39. A. 5~6 点。

    B. 6~7 点。

    C. 10 点。

    D. 不知道。

40. A. 5~6 点。

    B. 6~7 点。

    C. 10 点。

    D. 不知道。

41. A. 剧场。

    B. 学校。

    C. 车上。

    D. 火车站。

42. A. 左边。

    B. 右边。

    C. 前边。

    D. 后边。

43. A. 9 个星期就回来。

    B. 5 个星期就回来。

    C. 两个星期就回来。

    D. 每个星期都回来。

44. A. 4 点半。

    B. 5 点差一刻。

    C. 5 点钟。

    D. 5 点一刻。

45. A. 鸡蛋。

    B. 饺子。

    C. 肉。

    D. 青菜。

46. A. 一次。

    B. 两次。

    C. 三次。

    D. 四次。

47. A. 早晨 4 点。

    B. 早晨 5 点。

    C. 上午 8 点半，下午 3 点半。

    D. 上午 8 点半，晚上 10 点。

48. A. 对孩子没有要求。

    B. 只要求孩子回家时跟他们一样。

    C. 要求孩子跟他们一样。

    D. 要求他们吃鸡蛋和饺子。

49. A. 10 岁。

    B. 6 岁。

    C. 4 岁。

    D. 2 岁。

50. A. 她是小学生。

    B. 她是中学生。

    C. 她是大学生。

    D. 她不上学，在家里自学。

词汇总表

A	阿姨	（名）	āyí	10
	爱人	（名）	àiren	7
	安排	（动、名）	ānpái	8
B	把	（介）	bǎ	6
C	参观	（动）	cānguān	8
	参加	（动）	cānjiā	9
	茶	（名）	chá	6
	迟到	（动）	chídào	6
	聪明	（形）	cōngming	7
D	带	（动）	dài	8
	倒数	（动）	dàoshǔ	6
	典礼	（名）	diǎnlǐ	8
	点	（量）	diǎn	6
	短期	（名）	duǎnqī	9
F	发	（动）	fā	8
	分为		fēn wéi	9

G	干	（动）	gàn	10
	告诉	（动）	gàosu	9
	关照	（动）	guānzhào	7
	管	（动）	guǎn	10
	过	（助）	guo	7
	过	（动）	guò	10
	过来	（动）	guòlai	7
H	好吃	（形）	hǎochī	6
	行	（量）	háng	6
	虎	（名）	hǔ	10
	话题	（名）	huàtí	9
J	积极	（形）	jījí	6
	继续	（动）	jìxù	9
	检查	（动）	jiǎnchá	6
	接	（动）	jiē	8
	进修	（动）	jìnxiū	9
	举	（动）	jǔ	6
K	开学		kāi xué	8
	考试	（动、名）	kǎoshì	6
	可不是		kěbúshì	9
	可以	（能动）	kěyǐ	6
	课本	（名）	kèběn	8
	课程	（名）	kèchéng	9
	块	（量）	kuài	7

L	聊天儿		liáo tiānr	7
	另	（代）	lìng	8
	留	（动）	liú	6
M	毛笔	（名）	máobǐ	10
	门铃	（名）	ménlíng	10
P	牌子	（名）	páizi	7
Q	前边	（名）	qiánbiān	6
	墙	（名）	qiáng	8
R	热闹	（形）	rènao	10
	入学		rù xué	8
S	商量	（动）	shāngliang	9
	手续	（名）	shǒuxù	8
	水平	（名）	shuǐpíng	9
T	同意	（动）	tóngyì	10
W	外国	（名）	wàiguó	7
	完	（动）	wán	6
	玩具	（名）	wánjù	10
	网球	（名）	wǎngqiú	10

为了	（介）	wèile	9
卫生间	（名）	wèishēngjiān	8
问题	（名）	wèntí	6

X

先	（副）	xiān	6
响	（动）	xiǎng	10
像	（动）	xiàng	8
小卖部	（名）	xiǎomàibù	8
校园	（名）	xiàoyuán	8

Y

| 迎接 | （动） | yíngjiē | 7 |
| 运动 | （动、名） | yùndòng | 10 |

Z

照片	（名）	zhàopiàn	7
挣	（动）	zhèng	10
住宿	（动）	zhùsù	8
准备	（动）	zhǔnbèi	6
综合	（动）	zōnghé	9
走	（动）	zǒu	7

专名 Proper nouns

D

| 东京 | Dōngjīng | 7 |

L

| 联合国 | Liánhéguó | 9 |

基础语音练习材料

一、声母

b —— p		
bóbo（伯伯）	bízi（鼻子）	bùzi（步子）
pópo（婆婆）	pízi（皮子）	pùzi（铺子）
bāzhe（扒着）	báiduì（白队）	bāoqǐ（包起）
pāzhe（趴着）	páiduì（排队）	pāoqǐ（抛起）
bǎole（饱了）	fābái（发白）	yìbǐ（一笔）
pǎole（跑了）	fāpái（发牌）	yìpǐ（一匹）
fābào（发报）	zhēnbàng（真棒）	xīnbiān（新编）
fāpào（发炮）	zhēnpàng（真胖）	xīnpiān（新篇）

d —— t		
dāle（搭了）	dúshū（读书）	túshū（图书）
tāle（塌了）	dùzi（肚子）	tùzi（兔子）
duìle（对了）	dǎnzi（胆子）	diāozhe（叼着）
tuìle（退了）	tǎnzi（毯子）	tiāozhe（挑着）
dǐnglì（鼎立）	duìhuàn（兑换）	chuándǐ（船底）
tǐnglì（挺立）	tuìhuàn（退换）	chuántǐ（船体）

hédào（河道）　　　bùduō（不多）　　　bùdǒng（不懂）
hétào（河套）　　　bùtuō（不脱）　　　bùtǒng（不捅）

g —— k

gèrén（个人）　　　gāizhe（该着）　　　gànwán（干完）
kèrén（客人）　　　kāizhe（开着）　　　kànwán（看完）

gēngdì（耕地）　　　gāngjiàn（刚健）　　　gōngwén（公文）
kēngdì（坑地）　　　kāngjiàn（康健）　　　kōngwén（空文）

guīxīn（归心）　　　xiǎogǒu（小狗）　　　kègǔ（刻骨）
kuīxīn（亏心）　　　xiǎokǒu（小口）　　　kèkǔ（刻苦）

érgē（儿歌）　　　dàiguǎn（代管）　　　yóuguàng（游逛）
érkē（儿科）　　　dàikuǎn（贷款）　　　yóukuàng（油矿）

j —— q

jìhuà（计划）　　　júzhǎng（局长）　　　jùmù（剧目）
qìhuà（汽化）　　　qūzhǎng（区长）　　　qǔmù（曲目）

jíxiàn（极限）　　　jiāndū（监督）　　　jiǎngqiú（讲求）
qīxiàn（期限）　　　qiāndū（迁都）　　　qiǎngqiú（抢球）

jīnghuá（精华）　　　jìngzhù（敬祝）　　　huángjīn（黄金）
qīnghuá（清华）　　　qìngzhù（庆祝）　　　huángqīn（皇亲）

guójí（国籍）　　　bàojǐng（报警）　　　dàjiāng（大江）
guóqí（国旗）　　　bàoqǐng（报请）　　　dàqiāng（大枪）

xiāngjiàn（相见）
xiāngqiàn（镶嵌）

z —— c

yízì（一字）　　　　zǐshí（子时）　　　　zǎochǎng（早场）
yícì（一次）　　　　cǐshí（此时）　　　　cǎochǎng（草场）

zāngfáng（脏房）　　zūzhòng（租种）　　　zūnkǒu（尊口）
cāngfáng（仓房）　　cūzhòng（粗重）　　　cūnkǒu（村口）

xiànzài（现在）　　　xiězuò（写作）　　　 zuòle（做了）
xiàncài（苋菜）　　　xiěcuò（写错）　　　 cuòle（错了）

dàzōng（大宗）　　　yīnzǐ（因子）　　　　qīngcuì（清脆）
dàcōng（大葱）　　　yīncǐ（因此）　　　　qīngzuì（轻罪）

zh —— ch

zhāzi（渣子）　　　　zhízi（侄子）　　　　qǐzhǐ（起止）
chāzi（叉子）　　　　chízi（池子）　　　　qǐchǐ（启齿）

zhákǒu（闸口）　　　zhǎnpǐn（展品）　　　zhāngkuáng（张狂）
chákǒu（茬口）　　　chǎnpǐn（产品）　　　chāngkuáng（猖狂）

zhāoshēng（招生）　　zhōngshí（忠实）　　 zhùzhǎng（助长）
chāoshēng（超声）　　chōngshí（充实）　　 chùzhǎng（处长）

zháimén（宅门）　　　míngzhēng（明争）　　gōngzhǎng（工长）
cháimén（柴门）　　　míngchēng（名称）　　gōngchǎng（工厂）

zhōngfēng（中锋）
chōngfēng（冲锋）

z —— zh

zájì（杂技）	zǔlì（阻力）	zīshì（姿势）
zhájì（札记）	zhǔlì（主力）	zhīzhi（知识）
zūzi（租子）	fùzǎi（负载）	zàngē（赞歌）
zhūzi（珠子）	fùzhài（负债）	zhàngē（战歌）
zāihuā（栽花）	zànshí（暂时）	zǒngzhàng（总账）
zhāihuā（摘花）	zhànshí（战时）	zhǒngzhàng（肿胀）
zōngzhǐ（宗旨）	zēngbīng（增兵）	xīnzàng（心脏）
zhōngzhǐ（中止）	zhēngbīng（征兵）	xīnzhàng（新账）
guózàng（国葬）	zàoxiàng（造像）	
guózhàng（国丈）	zhàoxiàng（照相）	

c —— ch

cūbù（粗布）	cāizì（猜字）	tuīcí（推辞）
chūbù（初步）	chāizì（拆字）	tuīchí（推迟）
cāshǒu（擦手）	cángshū（藏书）	cūnzhuāng（村庄）
chāshǒu（插手）	chángshù（常数）	chūnzhuāng（春装）
bùcéng（不曾）	cóngfàn（从犯）	mùcái（木材）
bùchéng（不成）	chóngfàn（重犯）	mùchái（木柴）
huìcāo（会操）	duǎncù（短促）	shīcōng（失聪）
huìchāo（汇钞）	duǎnchù（短处）	shīchǒng（失宠）
zūncóng（遵从）	xiāngcūn（乡村）	cuōpò（搓破）
zūnchóng（尊崇）	xiāngchūn（香椿）	chuōpò（戳破）

s —— sh

sīrén（私人）	sīwén（斯文）	sùlì（肃立）
shīrén（诗人）	shīwén（诗文）	shùlì（树立）
sōují（搜集）	yǔsù（语速）	tèsè（特色）
shōují（收集）	yúshù（余数）	tèshè（特设）
sēnlín（森林）	sāngyè（桑叶）	sānjiǎo（三角）
shēnlín（身临）	shāngyè（商业）	shānjiǎo（山脚）
lǎosēng（老僧）	sǎoshù（扫数）	sàngshēn（丧身）
lǎoshēng（老生）	shǎoshù（少数）	shàngshēn（上身）
sǎnguāng（散光）	sànxīn（散心）	sùmù（肃穆）
shǎnguāng（闪光）	shànxīn（善心）	shùmù（树木）

zh —— j

zhīxīn（知心）	zhìdù（制度）	zhīhuì（知会）	zhìhuì（智慧）
jīxīn（鸡心）	jìdù（季度）	jīhuì（机会）	jìhuì（忌讳）
zhīyù（知遇）	zhìnéng（智能）	zhīyuán（支援）	shízhì（实质）
jīyù（机遇）	jìnéng（技能）	jīyuán（机缘）	shíjì（实际）
zázhì（杂志）	shēngzhí（升值）		
zájì（杂技）	shēngjí（升级）		
jiǎnzhāng（简章）	jìzhě（记者）	jiànzhù（建筑）	jìnzhǎn（进展）
jiǎnzhí（简直）	jīzhì（机制）	jiàzhí（价值）	jīnzhāo（今朝）
zhíjiē（直接）	zhèngjiàn（证件）	zhájì（札记）	zhōngjiān（中间）
zhījǐ（知己）	zhēnjiǎ（真假）	zhǎngjià（涨价）	zhěngjié（整洁）

ch —— q

chīmí（痴迷）	chízi（池子）	chīlì（吃力）	chìzú（赤足）
qīmí（凄迷）	qízi（旗子）	qīlì（凄厉）	qìzú（气足）
chídào（迟到）	yìchǐ（一尺）	bǎchí（把持）	páichì（排斥）
qídǎo（祈祷）	yìqǐ（一起）	bāqí（八旗）	páiqì（排气）
zhīchí（支持）	xiǎochī（小吃）		
zhīqù（知趣）	xiǎoqì（小器）		
qǐchū（起初）	qīchǔ（凄楚）	qiúchǎng（球场）	qiánchéng（前程）
qièchǐ（切齿）	qìchē（汽车）	qíchàng（齐唱）	qīngchè（清澈）
chángqī（长期）	chūqī（初期）	chéngquán（成全）	chāqǔ（插曲）
cháoqì（潮气）	chūqù（出去）	chéngqiáng（城墙）	chuánqí（传奇）

sh —— x

shīzi（狮子）	shìzi（柿子）	shíqi（时气）
xízi（席子）	xìzǐ（戏子）	xíqì（习气）
shīrén（诗人）	shīshēng（师生）	shìyán（誓言）
xírén（袭人）	xīshēng（牺牲）	xìyán（戏言）
yùshí（玉石）	dàshǐ（大使）	guòshì（过世）
yùxí（预习）	dàxǐ（大喜）	guòxì（过细）
gōngshǐ（公使）	xiǎoshuō（小说）	xiànshēn（献身）
gōngxǐ（恭喜）	xiàoshè（校舍）	xiànshí（现实）

xīnshǎng（欣赏）　　xiǎngshòu（享受）　　shāngxīn（伤心）
xiéshāng（协商）　　xiāngshí（相识）　　shàngxún（上旬）

shíxíng（实行）　　　shàngxué（上学）　　shèngxià（剩下）
shìxiàng（事项）　　　shǎoxǔ（少许）　　　shíxí（实习）

l —— r

lùkǒu（路口）　　　lètiān（乐天）　　　lǎnbìng（懒病）
rùkǒu（入口）　　　rètiān（热天）　　　rǎnbìng（染病）

làngrén（浪人）　　　lóngdòng（龙洞）　　jìnlù（近路）
ràngrén（让人）　　　róngdòng（溶洞）　　jìnrù（进入）

fánlóng（樊笼）　　　bìlán（碧蓝）　　　yúlè（娱乐）
fánróng（繁荣）　　　bìrán（必然）　　　yúrè（余热）

mùlán（木栏）　　　rìlì（日历）　　　ránliào（燃料）
mùrán（木然）　　　rèliè（热烈）　　　rénlèi（人类）

rónglú（熔炉）　　　ruìlì（锐利）　　　láirì（来日）
róngliú（容留）　　　rèliàng（热量）　　liánrì（连日）

lìrú（例如）　　　liánrèn（连任）　　lìrùn（利润）
lièrén（猎人）　　　lěngrè（冷热）　　língrǔ（凌辱）

二、韵母

a

māma（妈妈）　　　bàba（爸爸）　　　dǎbǎ（打靶）
fādá（发达）　　　shāyǎ（沙哑）　　　hāha（哈哈）

o

bóbo（伯伯）　　　pópo（婆婆）　　　bōbo（饽饽）

mòmò（默默）　　　bómó（薄膜）　　　mópò（磨破）

e

gēge（哥哥）　　　kèchē（客车）　　　hégé（合格）

kēkè（苛刻）　　　géhé（隔阂）　　　tèshè（特设）

i

dìdi（弟弟）　　　bǐjì（笔记）　　　dìlǐ（地理）

jítǐ（集体）　　　xítí（习题）　　　jīqì（机器）

u

shūshu（叔叔）　　　gūgu（姑姑）　　　fùmǔ（父母）

fúwù（服务）　　　cūsú（粗俗）　　　húlu（葫芦）

ü

qūyù（区域）　　　qǔjù（曲剧）　　　yǔjù（语句）

lǚjū（旅居）　　　xùqǔ（序曲）　　　xūyú（须臾）

er

xiǎo'ér（小儿）　　　értóng（儿童）　　　érqiě（而且）

ěrduo（耳朵）　　　shí'èr（十二）　　　èrshí（二十）

ai

nǎinai（奶奶）　　　　báicài（白菜）　　　　kāicǎi（开采）

mǎimai（买卖）　　　　zāihài（灾害）　　　　hǎidài（海带）

ei

mèimei（妹妹）　　　　běiměi（北美）　　　　pèibèi（配备）

féiměi（肥美）　　　　bèilěi（蓓蕾）　　　　hēiméi（黑煤）

ao

lǎolao（姥姥）　　　　zǎocāo（早操）　　　　pǎodào（跑道）

hàozhào（号召）　　　　gāocháo（高潮）　　　　láobǎo（劳保）

ou

dǒusǒu（抖擞）　　　　shǒuhòu（守候）　　　　zǒushòu（走兽）

shòuròu（瘦肉）　　　　shōushòu（收受）　　　　shōugòu（收购）

ia

jiājiā（家家）　　　　qiàqià（恰恰）　　　　jiājià（加价）

jiāyā（加压）　　　　yājià（压价）　　　　xiàjiā（下家）

ie

yéye（爷爷）　　　　jiějie（姐姐）　　　　xièxie（谢谢）

tiēqiè（贴切）　　　　lièliè（烈烈）　　　　diēdie（爹爹）

iao

piāomiǎo（缥渺）　　　xiǎoniǎo（小鸟）　　　xiāoyáo（逍遥）

xiǎoqiǎo（小巧）　　　miáotiao（苗条）　　　miǎobiǎo（秒表）

iou

jiùjiu（舅舅）　　　　yōujiǔ（悠久）　　　　yōuxiù（优秀）

qiūyóu（秋游）　　　　xiùqiú（绣球）　　　　jiǔniú（九牛）

ua

guàhuā（挂花）　　　　huāwà（花袜）　　　　shuǎhuá（耍滑）

guàhuà（挂画）　　　　wáwa（娃娃）　　　　kuākua（夸夸）

uo

guóhuò（国货）　　　　luòtuo（骆驼）　　　　guòcuò（过错）

duōsuo（哆嗦）　　　　duòluò（堕落）　　　　nuòruò（懦弱）

uai

shuāihuài（摔坏）　　　huáichuāi（怀揣）　　　guāiguāi（乖乖）

zhuàiwāi（拽歪）　　　wàikuài（外块）　　　　wàihuái（外踝）

uei

huíguī（回归）　　　　huíwèi（回味）　　　　zhuīhuǐ（追悔）

wèisuì（未遂）　　　　wěisuí（尾随）　　　　tuīshuǐ（推水）

üe

juéjué（决绝）　　　yuēlüè（约略）　　　quēxuě（缺雪）

juéxué（绝学）　　　quēyuè（缺月）　　　lüèlüè（略略）

an

shānbǎn（舢板）　　　zhǎnlǎn（展览）　　　sǎnmàn（散漫）

àndàn（暗淡）　　　fānbǎn（翻版）　　　fǎnpàn（反叛）

en

rènzhēn（认真）　　　běnfèn（本分）　　　rénshēn（人身）

shēnshēn（深深）　　　shēnchén（深沉）　　　gēnběn（根本）

ang

chángcháng（常常）　　　chǎngfáng（厂房）　　　bāngmáng（帮忙）

gāngcháng（纲常）　　　chǎngzhǎng（厂长）　　　tángláng（螳螂）

eng

fēngzheng（风筝）　　　gēngzhèng（更正）　　　lěngfēng（冷风）

shēngchéng（生成）　　　fèngcheng（奉承）　　　céngcéng（层层）

ong

gōnggòng（公共）　　　lóngtǒng（笼统）　　　kōngdòng（空洞）

gōngnóng（工农）　　　gòngtóng（共同）　　　tōngróng（通融）

uan

zhuǎnhuàn（转换）　　huánkuǎn（还款）　　guànchuān（贯穿）

huànguān（宦官）　　zhuānkuǎn（专款）　　chuānwán（穿完）

uen

wēncún（温存）　　chūnsǔn（春笋）　　wēnshùn（温顺）

zhūnzhūn（谆谆）　　húntun（馄饨）　　gǔngǔn（滚滚）

uang

kuángwàng（狂妄）　　huánghuáng（惶惶）　　wǎngwǎng（往往）

zhuānghuáng（装潢）　　zhuàngkuàng（状况）　　shuānghuáng（双簧）

ueng

wèngcài（蕹菜）　　fùwēng（富翁）　　lǎowēng（老翁）

yúwēng（渔翁）　　shuǐwèng（水瓮）　　jiǔwèng（酒瓮）

ian

xiānyàn（鲜艳）　　piànmiàn（片面）　　tiánjiān（田间）

liánmián（连绵）　　qiānlián（牵连）　　qiánnián（前年）

in

xīnqín（辛勤）　　xìnxīn（信心）　　pínmín（贫民）

qīnjìn（亲近）　　jìnxīn（尽心）　　bīnbīn（彬彬）

iang

xiǎngliàng（响亮）　　xiǎngxiàng（想象）　　liàngxiàng（亮相）
niángniang（娘娘）　　qiángliáng（强梁）　　liàngqiàng（踉跄）

ing

xīngxing（星星）　　mìnglìng（命令）　　jīngyíng（经营）
jīngmíng（精明）　　níngjìng（宁静）　　dīngníng（叮咛）

iong

xiōngyǒng（汹涌）　　xióngxióng（熊熊）　　qióngxiōng（穷凶）
jiǒngjiǒng（炯炯）　　qióngqióng（茕茕）　　xiōngqióng（芎䓖）

üan

yuánquán（源泉）　　yuánquān（圆圈）　　quányuàn（全院）
juānjuān（涓涓）　　quánquán（全权）　　xuānyuán（轩辕）

ün

jūnyún（均匀）　　jūnxùn（军训）　　xúnxún（循循）
yúnyún（芸芸）　　jūnyùn（军运）　　qūnxún（逡巡）

an —— en

gǎnzi（杆子）　　bǎnzi（板子）　　fānkāi（翻开）
gēnzi（根子）　　běnzi（本子）　　fēnkāi（分开）

chánjī（禅机） zhànxiàn（战线） gānjìng（干净）

chénjī（沉积） zhènxiàn（阵线） gēnjīng（根茎）

huāpán（花盘） kèbǎn（刻板） yíhàn（遗憾）

huāpén（花盆） kèběn（课本） yíhèn（遗恨）

hòushān（后山）

hòushēn（后身）

---

cánrěn（残忍） ānfèn（安分） ānshén（安神）

bǎnběn（版本） zánmen（咱们） fànrén（犯人）

fǎnchèn（反衬） shěnpàn（审判） fēndān（分担）

fánmèn（烦闷） fēnfán（纷繁） shēnzhǎn（伸展）

shēnshān（深山） fēnsàn（分散）

chènshān（衬衫） zhēnmàn（真慢）

ian —— uan

qiántou（前头） yǎnshì（演示） xiánzhe（闲着）

quántou（拳头） yuǎnshì（远视） xuánzhe（悬着）

qiānyáng（牵羊） qiánshuǐ（潜水） jiànzi（腱子）

quānyáng（圈羊） quánshuǐ（泉水） juànzi（卷子）

xiánliáng（贤良） shìjiàn（事件） wúyán（无言）

xuánliáng（悬梁） shìjuàn（试卷） wúyuán（无缘）

fēngxiǎn（风险）

fèngquàn（奉劝）

juǎnyān（卷烟）　　　　xuānyán（宣言）　　　　quāndiǎn（圈点）
yuánxiān（原先）　　　　juānxiàn（捐献）　　　　yuánjiàn（原件）

quánxiàn（全县）　　　　xuánniàn（悬念）　　　　biānyuán（边缘）
quántiān（全天）　　　　juànliàn（眷恋）　　　　jiànquán（健全）

yǎnyuán（演员）　　　　miánjuǎn（棉卷）
tiányuán（田园）　　　　liánxuǎn（连选）

in —— un

báiyín（白银）　　　　yángqín（扬琴）　　　　tōngxìn（通信）
báiyún（白云）　　　　yángqún（羊群）　　　　tōngxùn（通讯）

bùjīn（不禁）　　　　fēngqín（风琴）　　　　qíntǐ（琴体）
bùjūn（不均）　　　　fēngqún（蜂群）　　　　qúntǐ（群体）

xìnfú（信服）　　　　xīnshì（新式）　　　　yìnshū（印书）
xùnfú（驯服）　　　　xúnshì（巡视）　　　　yùnshū（运输）

yǐncáng（隐藏）
yùncáng（蕴藏）

yīnyún（阴云）　　　　yīnxún（因循）　　　　jìnyùn（禁运）
yīnyùn（音韵）　　　　yīnxùn（音讯）　　　　jìnjūn（进军）

xīnjūn（新军）　　　　yúnjǐn（云锦）　　　　xúnxìn（寻衅）
xīnqún（新裙）　　　　yúnbìn（云鬓）　　　　jūnlín（君临）

jūnmín（军民）
jūnxīn（军心）

ang —— eng

mángzhe（忙着）　　　dǎngzhe（挡着）　　　hángxíng（航行）

méngzhe（蒙着）　　　děngzhe（等着）　　　héngxíng（横行）

shāngrén（商人）　　　chángshì（尝试）　　　zàngsòng（葬送）

shēngrén（生人）　　　chéngshì（城市）　　　zèngsòng（赠送）

zhāngchéng（章程）　　dōngfāng（东方）　　　xiàngzhāng（像章）

zhēngchéng（征程）　　dōngfēng（东风）　　　xiàngzhēng（象征）

zhuǎnzhàng（转账）

zhuǎnzhèng（转正）

chángchéng（长城）　　fángfēng（防风）　　　kànghéng（抗衡）

zhāngchéng（章程）　　chángzhēng（长征）　　chánggēng（长庚）

yánggēng（羊羹）　　　shāngfēng（伤风）　　　zhèngcháng（正常）

dǎngfēng（党风）　　　shàngděng（上等）　　　shēngzhǎng（生长）

zhèngdǎng（政党）　　　fēnglàng（风浪）　　　lěngcáng（冷藏）

péngzhàng（膨胀）　　　chéngdāng（承当）　　　dēngchǎng（登场）

fēngmáng（锋芒）

lěngtàng（冷烫）

an —— ang

yánlì（严厉）　　　　　hánlù（寒露）　　　　　fǎnwèn（反问）

yánglì（阳历）　　　　　hánglù（航路）　　　　　fǎngwèn（访问）

dānxīn（担心）　　shānkǒu（山口）　　kāifàn（开饭）
dāngxīn（当心）　　shāngkǒu（伤口）　　kāifàng（开放）

xīnfán（心烦）　　shīzhǎn（施展）　　fēngshàn（风扇）
xīnfáng（心房）　　shīzhǎng（师长）　　fēngshàng（风尚）

bānzhǎng（班长）　　ānkāng（安康）　　zhàngǎng（站岗）
dāndāng（担当）　　tǎndàng（坦荡）　　fánmáng（繁忙）

shàncháng（擅长）　　bànláng（伴郎）　　dāngrán（当然）
lándǎng（拦挡）　　màncháng（漫长）　　fángfàn（防范）

shàngbān（上班）　　làngmàn（浪漫）　　shānghán（伤寒）
shàngshān（上山）　　shānggǎn（伤感）　　shàngyǎn（上演）

kàngzhàn（抗战）
kànghàn（抗旱）

en —— eng

fēndù（分度）　　zhěnzhì（诊治）　　shēnsī（深思）
fēngdù（风度）　　zhěngzhì（整治）　　shēngsī（生丝）

chénjiù（陈旧）　　ménmiàn（门面）　　shēnzhāng（伸张）
chéngjiù（成就）　　méngmiàn（蒙面）　　shēngzhāng（声张）

rénshēn（人身）　　guāfēn（瓜分）　　mùpén（木盆）
rénshēng（人生）　　guāfēng（刮风）　　mùpéng（木棚）

chéngmén（城门）
chéngméng（承蒙）

běnnéng（本能）　　fēnfēng（分封）　　ménshēng（门生）
shénshèng（神圣）　　ménfēng（门风）　　wénfēng（文风）

rénshēng（人生）　　zhēnchéng（真诚）　　shēngēng（深耕）
rénchēng（人称）　　zhēnzhèng（真正）　　shēnkēng（深坑）

zēnghèn（憎恨）　　chéngzhèn（城镇）　　chéngkěn（诚恳）
chéngfèn（成分）　　chéngrèn（承认）　　shēngwēn（升温）

dēngmén（登门）
shēngchén（生辰）

in —— ing

jìnjì（禁忌）　　línlì（林立）　　jìnzhǐ（禁止）
jìngjì（竞技）　　línglì（伶俐）　　jìngzhǐ（静止）

pínfán（频繁）　　línshí（临时）　　fùxìn（复信）
píngfán（平凡）　　língshí（零食）　　fùxìng（复姓）

rénmín（人民）　　shuǐbīn（水滨）　　hóngxīn（红心）
rénmíng（人名）　　shuǐbīng（水兵）　　hóngxīng（红星）

fēngqín（风琴）
fēngqíng（风情）

yīnxìng（阴性）　　xīnyǐng（新颖）　　yǐnqíng（引擎）
jìnqíng（尽情）　　jìnxíng（进行）　　mínbīng（民兵）

xīnxīng（新兴）　　xīnqíng（心情）　　pǐnmíng（品名）
jìnxìng（尽兴）　　mínjǐng（民警）　　yínpíng（银屏）

língmǐn（灵敏）　　tǐngjìn（挺进）　　lǐngjīn（领巾）

qīngxīn（清新）　　dìngqīn（定亲）　　píngmín（平民）

píngxìn（平信）

tīngxìn（听信）

uan —— uang

shuānjì（栓剂）　　guānmíng（官名）　　zhuānchē（专车）

shuāngjì（双季）　　guāngmíng（光明）　　zhuāngchē（装车）

huánchéng（环城）　　chuánshang（船上）　　jīguān（机关）

huángchéng（皇城）　　chuángshang（床上）　　jīguāng（激光）

xīnhuān（新欢）　　fènghuán（奉还）　　shǒuwàn（手腕）

xīnhuāng（心慌）　　fènghuáng（凤凰）　　shǒuwàng（守望）

pángguān（旁观）

pángguāng（膀胱）

kuānguǎng（宽广）　　guānwàng（观望）　　guānguāng（观光）

duānzhuāng（端庄）　　suànhuáng（蒜黄）　　ruǎnchuáng（软床）

huànchuáng（换床）　　luǎnhuáng（卵黄）　　huànzhuāng（换装）

luànchuǎng（乱闯）　　zuànchuáng（钻床）　　guānchuāng（关窗）

zhuāngchuán（装船）　　huángguān（皇冠）　　wángguān（王冠）

shuāngguān（双关）　　zhuàngguān（壮观）　　guānghuán（光环）

kuánghuān（狂欢）

huāngluàn（慌乱）

ian —— iang

jiǎnlì（简历）　　　jiǎnmíng（简明）　　　xiānhuā（鲜花）

jiǎnglì（奖励）　　　jiǎngmíng（讲明）　　　xiānghuā（香花）

liánmián（连绵）　　jiānyìng（坚硬）　　　qiǎnxiǎn（浅显）

liángmián（粮棉）　　jiāngyìng（僵硬）　　　qiǎngxiǎn（抢险）

qiánrén（前人）　　　fāyán（发言）　　　　shìyàn（试验）

qiángrén（强人）　　　fāyáng（发扬）　　　　shìyàng（式样）

lǎonián（老年）

lǎoniáng（老娘）

xiànxiàng（现象）　　yǎnjiǎng（演讲）　　biānjiāng（边疆）

jiānqiáng（坚强）　　biànxiàng（变相）　　piānxiàng（偏向）

miǎnqiǎng（勉强）　　jiànjiàng（健将）　　yánjiāng（沿江）

liánxiǎng（联想）　　diǎnjiàng（点将）　　qiánliáng（钱粮）

qiángjiàn（强健）　　xiāngyān（香烟）　　jiǎngliàn（讲练）

xiǎngniàn（想念）　　xiāngqiàn（镶嵌）　　jiāngbiān（江边）

jiāngmiàn（江面）

qiǎngxiǎn（抢险）

un —— ong

lúnzi（轮子）　　　túnbù（臀部）　　　dùnròu（炖肉）

lóngzi（笼子）　　　tóngbù（同步）　　　dòngròu（冻肉）

tūnbìng（吞并）　　zūnshī（尊师）　　chūnfēng（春风）
tōngbìng（通病）　　zōngshī（宗师）　　chōngfēng（冲锋）

yīcún（依存）　　　gǔnmù（滚木）　　　huǒlún（火轮）
yīcóng（依从）　　　gǒngmù（拱木）　　　huǒlóng（火龙）

shuǐlún（水轮）
shuǐlóng（水龙）

zūnzhòng（尊重）　　shùncóng（顺从）　　kūnchóng（昆虫）
hùntóng（混同）　　　wěnzhòng（稳重）　　zūnróng（尊容）

gǔndòng（滚动）　　chūngōng（春宫）　　zūncóng（遵从）
gǔntǒng（滚筒）　　chūnzhòng（春种）　　lùncóng（论丛）

gōngxūn（功勋）　　　tōnghūn（通婚）　　chónghūn（重婚）
hónglùn（宏论）　　　gōnglùn（公论）　　chóngwēn（重温）

nóngcūn（农村）
hóngrùn（红润）

三、鼻韵母综合练习

sēnlín（森林）　　　　　fǎnwèn（反问）
zhuānmén（专门）　　　　wēncún（温存）
qiánjìn（前进）　　　　　qiānxùn（谦逊）
wénjiàn（文件）　　　　　chányán（谗言）
wēnnuǎn（温暖）　　　　　rénmín（人民）
qiānlián（牵连）　　　　　miànfěn（面粉）

duànliàn（锻炼）

jiǎndān（简单）

fànwǎn（饭碗）

mányuàn（埋怨）

miànmùquánfēi（面目全非）

biànběnjiālì（变本加厉）

nányánzhīyǐn（难言之隐）

guīxīnsìjiàn（归心似箭）

xuānchuán（宣传）

liánhuān（联欢）

yuánquán（源泉）

yǎnqián（眼前）

jìnxīnjiélì（尽心竭力）

qiānshānwànshuǐ（千山万水）

piànmiànzhīyán（片面之言）

chènxīnrúyuàn（称心如愿）

wāngyáng（汪洋）

huángfēng（黄蜂）

huāngmáng（慌忙）

liàngtang（亮堂）

tōngxiàng（通向）

gōngchǎng（工厂）

hángkōng（航空）

xiǎngliàng（响亮）

shuǎnglǎng（爽朗）

guāngróng（光荣）

yùbàngxiāngzhēng（鹬蚌相争）

chùjǐngshēngqíng（触景生情）

héngchōngzhízhuàng（横冲直撞）

chéngfēngpòlàng（乘风破浪）

wàngxiǎng（妄想）

guāngmíng（光明）

yángguāng（阳光）

lǎngsòng（朗诵）

chuāngkuàng（窗框）

chángjiāng（长江）

chàngxiǎng（畅想）

fāngxiàng（方向）

shāngliang（商量）

qiángyìng（强硬）

cángxíngnìyǐng（藏形匿影）

bèijǐnglíxiāng（背井离乡）

léilìfēngxíng（雷厉风行）

jīnggōngzhīniǎo（惊弓之鸟）

shànliáng（善良）

diànyǐng（电影）

fǎnyìng（反映）

gǎnqíng（感情）

huànxiǎng（幻想）

gānjìng（干净）

hánlěng（寒冷）

yīnxiàng（音像）

fēnfāng（芬芳）

shēngchǎn（生产）

zhèngquán（政权）

dòngyuán（动员）

huánghūn（黄昏）

jīngshén（精神）

dòngshēn（动身）

pángbiān（旁边）

zhuāngyán（庄严）

jiāoshēngguànyǎng（娇生惯养）

qiánchéngwànlǐ（前程万里）

mǎnchéngfēngyǔ（满城风雨）

zhēngxiānkǒnghòu（争先恐后）

rónghuìguàntōng（融会贯通）

wànxiànggēngxīn（万象更新）

jīngmíngqiánggàn（精明强干）

qīngjǔwàngdòng（轻举妄动）

tiānzhēnlànmàn（天真烂漫）

chōngfēngxiànzhèn（冲锋陷阵）

zhànzhēng（战争）

shènzhòng（慎重）

duānzhèng（端正）

yùnniàng（酝酿）

zhēncáng（珍藏）

gōngyuán（公园）

fángjiān（房间）

píngjūn（平均）

chóngxīn（重新）

yǒnggǎn（勇敢）

tōngxìn（通信）

qīngnián（青年）

xiāngcūn（乡村）

shānqióngshuǐjìn（山穷水尽）

línzhènmóqiāng（临阵磨枪）

shǎngfáfēnmíng（赏罚分明）

yǐnrénrùshèng（引人入胜）

línbiézèngyán（临别赠言）

sǒngréntīngwén（耸人听闻）

píngyìjìnrén（平易近人）

xiānjiànzhīmíng（先见之明）

yǔzhòngxīncháng（语重心长）

jīngxīndòngpò（惊心动魄）

四、声调

第一声+第一声：dōutīng（都听）

fāyīn（发音）　　　　　　fēijī（飞机）

guānxīn（关心）　　　　　sījī（司机）

chūnzhuāng（春光）　　　xīyān（吸烟）

zījīn（资金）　　　　　　jiāxiāng（家乡）

shānpō（山坡）　　　　　qīngchūn（青春）

chūshēng（出生）　　　　dōngfēng（东风）

jiāgōngchējiān（加工车间）　zhēnxīguāngyīn（珍惜光阴）

jiāngshānduōjiāo（江山多娇）　xīxīxiāngguān（息息相关）

zhōngyāngjīguān（中央机关）　jiāotōnggōngsī（交通公司）

hēbēikāfēi（喝杯咖啡）　　jīntiānchūfā（今天出发）

第一声+第二声：dōudú（都读）

jiātíng（家庭）　　　　　huānyíng（欢迎）

zhīchí（支持）　　　　　zhuānmén（专门）

gāngqín（钢琴）　　　　jīngyíng（经营）

fāyán（发言）　　　　　chuānglián（窗帘）

ānquán（安全）　　　　jiānqiáng（坚强）

huālán（花篮）　　　　gōngrén（工人）

kēxuéfāmíng（科学发明）　xuānchuánjiāoliú（宣传交流）

zhēnchéngbāngmáng（真诚帮忙）　sāntiáojīnyú（三条金鱼）

fēichángcōngmáng（非常匆忙）　zhēncángbānián（珍藏八年）

yōuliángsīchóu（优良丝绸）　guānhuáiqīngnián（关怀青年）

第一声+第三声：dōuxiě（都写）

cāochǎng（操场）	qiānbǐ（铅笔）
hēibǎn（黑板）	sīxiǎng（思想）
jīchǎng（机场）	fābiǎo（发表）
jīchǔ（基础）	gōngchǎng（工厂）
wēixiǎn（危险）	shēntǐ（身体）
shāngpǐn（商品）	gēwǔ（歌舞）
gēnggǎifāngfǎ（更改方法）	xīyǒujīnshǔ（稀有金属）
guānshǎnghuācǎo（观赏花草）	xiūlǐgāngbǐ（修理钢笔）
qīngxǐshāngkǒu（清洗伤口）	tīngxiěyīngyǔ（听写英语）
kāishǐxīnshǎng（开始欣赏）	fāzhǎnshēngchǎn（发展生产）

第一声+第四声：dōukàn（都看）

shāngdiàn（商店）	shūdiàn（书店）
gāoxìng（高兴）	shēngdiào（声调）
jīdàn（鸡蛋）	fāngxiàng（方向）
fāngmiàn（方面）	yīnyuè（音乐）
shūjià（书架）	kāishè（开设）
yīyuàn（医院）	fādòng（发动）
bāngzhùgōngzuò（帮助工作）	gōngshìgōngbàn（公事公办）
gōngzuòxūyào（工作需要）	xiānghùbāngzhù（相互帮助）
kāihuìfāngbiàn（开会方便）	fāxiànguīlǜ（发现规律）
kāidòngjīqì（开动机器）	xiūjiàngōnglù（修建公路）

109

第二声+第一声：háitīng（还听）

shénjīng（神经）　　　　　　shíguāng（时光）

yuányīn（原因）　　　　　　fúzhuāng（服装）

shíjiān（时间）　　　　　　huánghūn（黄昏）

rénshēng（人生）　　　　　　wúguān（无关）

qíngcāo（情操）　　　　　　liánjiē（连接）

chénggōng（成功）　　　　　tiáoyuē（条约）

qítāguójiā（其他国家）　　　nánfāngnóngcūn（南方农村）

tángshānchábēi（唐山茶杯）　tíhuāmáojīn（提花毛巾）

chéngchēhuíjiā（乘车回家）　míngtiānliánhuān（明天联欢）

shífēnniánqīng（十分年轻）　wénzhāngtígāng（文章提纲）

第二声+第二声：háidú（还读）

tóngxué（同学）　　　　　　shítáng（食堂）

huídá（回答）　　　　　　　niánlíng（年龄）

zháojí（着急）　　　　　　　wánquán（完全）

rénmín（人民）　　　　　　chúnjié（纯洁）

yuánzé（原则）　　　　　　píngfán（平凡）

yínháng（银行）　　　　　　xuéyuán（学员）

niúyángchéngqún（牛羊成群）　yángézhíxíng（严格执行）

liúxuéhuíguó（留学回国）　　xuéxíwénxué（学习文学）

jíshíchuándá（及时传达）　　bódétóngqíng（博得同情）

shíxíngliánhé（实行联合）　　wénmíngxíngwéi（文明行为）

第二声+第三声：háixiě（还写）

jiéguǒ（结果）

níngǎi（牛奶）

píjiǔ（啤酒）

píngguǒ（苹果）

hánlěng（寒冷）

yúchǔn（愚蠢）

wénxuǎn（文选）

héhuǒ（合伙）

liánxiǎng（联想）

yuánlǐ（原理）

quántǐ（全体）

chángjiǔ（长久）

nánnǚpíngděng（男女平等）

máoshǒumáojiǎo（毛手毛脚）

tíngzhǐláiwǎng（停止来往）

méiyǒufánnǎo（没有烦恼）

guóyǒucáichǎn（国有财产）

éyǔcídiǎn（俄语词典）

shuímǎimáobǐ（谁买毛笔）

guóchǎnshípǐn（国产食品）

第二声+第四声：háikàn（还看）

xuéxiào（学校）

chéngshì（城市）

yídìng（一定）

yígòng（一共）

niánjì（年纪）

máodùn（矛盾）

zájì（杂技）

zázhì（杂志）

qíngkuàng（情况）

huíyì（回忆）

fánmèn（烦闷）

tóngbàn（同伴）

shénshèngzhíyè（神圣职业）

shíshìqiúshì（实事求是）

míngzhèngyánshùn（名正言顺）

liánxìshíjì（联系实际）

fánzhòngláodòng（繁重劳动）

huánjìnghéshì（环境合适）

wénhuàxuéyuàn（文化学院）

liánxùbúduàn（连续不断）

第四声+第一声：zàitīng（再听）

xiàngzhēng（象征）	yìbān（一般）
dàjiā（大家）	diàndēng（电灯）
wèixīng（卫星）	kètīng（客厅）
xìnxīn（信心）	gùxiāng（故乡）
shèjī（射击）	bàngōng（办公）
xiàbān（下班）	zhènxīng（振兴）
hùxiāngjìngzhēng（互相竞争）	qùtīnglùyīn（去听录音）
jiàoshīshàngbān（教师上班）	gèngjiājiànkāng（更加健康）
hòutiāndòngshēn（后天动身）	huìkāiqìchē（会开汽车）
dàshēngchànggē（大声唱歌）	bìxūrènzhēn（必须认真）

第四声+第二声：zàidú（再读）

kèwén（课文）	liànxí（练习）
sùchéng（速成）	wèntí（问题）
wàiwén（外文）	yùxí（预习）
shùlín（树林）	shànliáng（善良）
xìngfú（幸福）	nèiróng（内容）
lùnwén（论文）	jiàocái（教材）
diàocháshìshí（调查事实）	ànláofùchóu（按劳付酬）
yùfángzhìliáo（预防治疗）	kètángjiàoxué（课堂教学）
jìnzhíjìnzé（尽职尽责）	ànshífùxí（按时复习）
tèbiérèqíng（特别热情）	gàobiédàxué（告别大学）

第四声+第三声：zàixiě（再写）

wàiyǔ（外语）

yuànzhǎng（院长）

bàodǎo（报导）

xìqǔ（戏曲）

dìdiǎn（地点）

fànguǎn（饭馆）

gèzhǒngbàozhǐ（各种报纸）

zìxuǎnshìchǎng（自选市场）

dàibiǎoxiàozhǎng（代表校长）

bìmiǎnhòuguǒ（避免后果）

huòzhě（或者）

lìshǐ（历史）

jùchǎng（剧场）

zhòngdiǎn（重点）

diànyǐng（电影）

zhùzhǐ（住址）

hànyǔkèběn（汉语课本）

rìběnliàolǐ（日本料理）

yìqǐtiàowǔ（一起跳舞）

chèdǐzhìlǐ（彻底治理）

第四声+第四声：zàikàn（再看）

jièshào（介绍）

zuòyè（作业）

zuìjìn（最近）

zàojù（造句）

diànshì（电视）

diànbào（电报）

zhèngzàishàngkè（正在上课）

chuàngzàojìlù（创造记录）

zhèngquèpànduàn（正确判断）

biànhuànmòcè（变幻莫测）

sùshè（宿舍）

zhùyì（注意）

zàijiàn（再见）

cuòwù（错误）

dàgài（大概）

xìjù（戏剧）

shènglìbìmù（胜利闭幕）

jìxùjìngsài（继续竞赛）

shùnlìbìyè（顺利毕业）

diànhuàhuìyì（电话会议）

*   *   *   *   *

jiāngshān（江山）	jiānghé（江河）	jiāngshuǐ（江水）	jiāng'àn（江岸）
shāndiān（山巅）	shānyá（山崖）	shāngǔ（山谷）	shāndòng（山洞）
huāxīn（花心）	huālán（花篮）	huāruǐ（花蕊）	huābàn（花瓣）
chūnfēng（春风）	chūnlán（春兰）	chūnyǔ（春雨）	chūnsè（春色）
hébiān（河边）	héchuáng（河床）	héshuǐ（河水）	hé'àn（河岸）
yínbēi（银杯）	yínpán（银盘）	yínwǎn（银碗）	yíndùn（银盾）
guójiā（国家）	guófáng（国防）	guótǔ（国土）	guójì（国际）
tóngxiāng（同乡）	tóngnián（同年）	tóngděng（同等）	tóngzhì（同志）
diàndēng（电灯）	diànchí（电池）	diànyǐng（电影）	diànhuà（电话）
yuèguāng（月光）	yuèqiú（月球）	yuèdǐ（月底）	yuèyè（月夜）
kuàngshān（矿山）	kuàngquán（矿泉）	kuàngjǐng（矿井）	kuàngyè（矿业）
càihuā（菜花）	càiyuán（菜园）	càizǐ（菜籽）	càiyè（菜叶）

五、变调

第三声+第三声：yěxiě（也写）

xiǎojiě（小姐）	xiǎozǔ（小组）	shǒubiǎo（手表）	liǎojiě（了解）
zhǎnlǎn（展览）	wǔdǎo（舞蹈）	chǎngzhǎng（厂长）	yǔfǎ（语法）
xuǎnjǔ（选举）	gǎnxiǎng（感想）	guǎngchǎng（广场）	bǐcǐ（彼此）
yǒngyuǎn（永远）	yǒuhǎo（友好）	hǎishuǐ（海水）	xǐzǎo（洗澡）

第三声+第一声：yětīng（也听）

lǎoshī（老师）	shǒuxiān（首先）	shǒudū（首都）	fǎngzhī（纺织）
yǎnchū（演出）	huǒchē（火车）	jiǎndān（简单）	shǐzhōng（始终）

měitiān（每天）　xǔduō（许多）　yǐjīng（已经）　zhǐbiāo（指标）
jiěshuō（解说）　běifāng（北方）　hǎifēng（海风）　hǎijūn（海军）

第三声+第二声：yědú（也读）

yǔyán（语言）　yǔwén（语文）　lǚxíng（旅行）　jǔxíng（举行）
jiǎnchá（检查）　qǐchuáng（起床）　jiějué（解决）　gǎigé（改革）
guǒrán（果然）　lǎngdú（朗读）　nuǎnpíng（暖瓶）　huǒchái（火柴）
liǎnpén（脸盆）　zhǔchí（主持）　biǎoyáng（表扬）　guǒshí（果实）

第三声+第四声：yěkàn（也看）

qǐngwèn（请问）　bǐjiào（比较）　yǐhòu（以后）　hǎokàn（好看）
diǎnfàn（典范）　guǎngdà（广大）　rěnnài（忍耐）　qiǎomiào（巧妙）
měilì（美丽）　fǎngwèn（访问）　mǎlù（马路）　mǎshàng（马上）
kǎoshì（考试）　bǎozhèng（保证）　gǎizào（改造）　qǐngjià（请假）

六、轻声

第一声+轻声：tīngde（听的）

māma（妈妈）　shūshu（叔叔）　gēge（哥哥）　gūgu（姑姑）
zhuōzi（桌子）　dīngzi（钉子）　jīnzi（金子）　shuāzi（刷子）
tiānshang（天上）　shūshang（书上）　shēnshang（身上）　bānshang（班上）
tāmen（他们）　xiūxi（休息）　qīngchu（清楚）　fānyi（翻译）
yīfu（衣服）　dōngxi（东西）　gūniang（姑娘）　chuānghu（窗户）

第二声+轻声：dúde（读的）

yéye（爷爷）	wáwa（娃娃）	miánhua（棉花）	tóufa（头发）
fángzi（房子）	pánzi（盘子）	yínzi（银子）	shéngzi（绳子）
tóushang（头上）	ménshang（门上）	fángshang（房上）	qiángshang（墙上）
xuésheng（学生）	péngyou（朋友）	piányi（便宜）	róngyi（容易）
liángkuai（凉快）	míngbai（明白）	pútao（葡萄）	máobing（毛病）

第三声+轻声：xiěde（写的）

nǎinai（奶奶）	lǎolao（姥姥）	jiějie（姐姐）	lǎoye（老爷）
sǎozi（嫂子）	sǎngzi（嗓子）	běnzi（本子）	jiǎozi（饺子）
shǒushang（手上）	jiǎoshang（脚上）	zǎoshang（早上）	wǎnshang（晚上）
wǒmen（我们）	nǐmen（你们）	nuǎnhuo（暖和）	hǎochu（好处）
lǎoshi（老实）	zhěntou（枕头）	xǐhuan（喜欢）	yǎnjing（眼睛）
kěyi（可以）	nǎli（哪里）	xiǎojie（小姐）	xiǎozi（小子）
lǎohu（老虎）	lǎoshu（老鼠）	shǒuli（手里）	yǎnli（眼里）

第四声+轻声：kànde（看的）

bàba（爸爸）	dìdi（弟弟）	mèimei（妹妹）	jiùjiu（舅舅）
jùzi（句子）	màozi（帽子）	wàzi（袜子）	juànzi（卷子）
shìshang（世上）	dìshang（地上）	bàoshang（报上）	huìshang（会上）
rènshi（认识）	kèqi（客气）	yìsi（意思）	piàoliang（漂亮）
tàiyang（太阳）	yuèliang（月亮）	dìfang（地方）	zhàogu（照顾）

七、儿化

dāobàr（刀把儿）　　hàomǎr（号码儿）　　shānpōr（山坡儿）

fěnmòr（粉末儿）　　shāngēr（山歌儿）　　xiǎochēr（小车儿）

shuǐzhūr（水珠儿）　　xiǎoshùr（小树儿）　　yíxiàr（一下儿）

dòuyár（豆芽儿）　　huánghuār（黄花儿）　　xiāngguār（香瓜儿）

xióngmāor（熊猫儿）　　xiǎodāor（小刀儿）　　tǔdòur（土豆儿）

xiǎogǒur（小狗儿）　　gànhuór（干活儿）　　shūzhuōr（书桌儿）

xiǎojīr（小鸡儿）　　xiǎomǐr（小米儿）　　xiǎoyúr（小鱼儿）

xiǎoqǔr（小曲儿）　　qízǐr（棋子儿）　　tiěsīr（铁丝儿）

shùzhīr（树枝儿）　　yǒushìr（有事儿）　　xiǎoháir（小孩儿）

húgàir（壶盖儿）　　xiāngwèir（香味儿）　　dāobèir（刀背儿）

mòshuǐr（墨水儿）　　màisuìr（麦穗儿）　　míngdānr（名单儿）

huālánr（花篮儿）　　shùgēnr（树根儿）　　qiàoménr（窍门儿）

bīnggùnr（冰棍儿）　　méizhǔnr（没准儿）　　fànguǎnr（饭馆儿）

hǎowánr（好玩儿）　　xiǎoyuànr（小院儿）　　huājuǎnr（花卷儿）

yàofāngr（药方儿）　　chìbǎngr（翅膀儿）　　xìnfēngr（信封儿）

xiǎodèngr（小凳儿）　　xiǎocōngr（小葱儿）　　xiǎochóngr（小虫儿）

yǎnguāngr（眼光儿）　　jìngkuàngr（镜框儿）　　shǒuyìnr（手印儿）

chōujīnr（抽筋儿）　　diànyǐngr（电影儿）　　huāpíngr（花瓶儿）

mǎjūr（马驹儿）　　kǒuxìnr（口信儿）

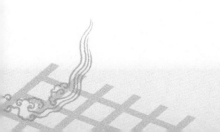